NCS기반
두피모발관리
SCALP CARE & TRICHOLOGY

전희영 · 김모진 · 김해영 · 이부형 · 김동분 공저

光文閣
www.kwangmoonkag.co.kr

머리말

헤어스타일은 전체 이미지의 반 이상을 차지한다고 합니다.

건강한 머릿결을 갖기 위한 노력은 선조부터 이어져 왔습니다.

단옷날 창포잎으로 머리를 감는 풍습과 여러 약초를 이용해 머리를 감는 행위는 옛 선조들의 지혜를 통해 건강한 두피와 머릿결을 갖기 위한 노력이었습니다.

이제 미용은 과학적인 증거와 함께 성장 발전하고 있으며 지속적인 발전을 통해 앞으로가 기대되는 산업의 한 분야이기도 합니다. 저희는 이 책을 통하여 두피에 대한 이래를 돕고 전문 인력의 질적 향상에 도움이 되기를 기원하는 마음으로 이렇게 책을 편찬합니다.

NCS 기반 산업현장에서 직무를 수행하기 위해 요구되는 수준별 능력 단위로 구분하여 이를 응용할 수 있고 참고할 수 있도록 다양한 분야에서 정보를 수집하여 한 권의 책으로 정리하였습니다. 보다 나은 교재로 활용될 수 있기를 희망합니다. 끝으로 출판될 수 있도록 도와주신 광문각출판사 박정태 회장님을 비롯하여 임직원 여러분께 감사드립니다.

저자 일동

CONTENTS

PART 4. 두피 · 모발 마무리하기

PART 5. 아로마를 이용한 두피관리 기법

부록

TRICHOLOGY

SCALP CARE & TRICHOLOGY PART

두피·모발관리 준비하기

※ 두피·모발관리 준비하기

학습	수준	학습 내용		이수 시간
1201010112_14v2.1 두피·모발관리 준비하기	4	1.1	두피·모발 상태 진단에 필요한 기기와 도구를 준비할 수 있다.	6
		1.2	문진, 시진, 촉진, 검진을 통해 고객의 두피·모발 상태를 분석할 수 있다.	
		1.3	두피 유형에 따라 관리 방법을 선택할 수 있다.	
		1.4	모발 상태에 따라 관리 방법을 선택할 수 있다.	
		1.5	다음번 방문 시 시술에 반영할 수 있도록 두피·모발 분석카드를 작성할 수 있다.	

http://www.ncs.go.kr

※ 학습 모듈 개요

두피·모발관리를 위하여 두피와 모발의 상태를 진단하고 유형에 따라 관리 방법을 선택할 수 있다. 실제 업무에 필요한 고객분석카드를 작성하여 관리할 수 있도록 한다.

※ 학습 목표

① 두피·모발 상태 진단에 필요한 기기와 도구를 준비할 수 있다.

② 문진, 시진, 촉진, 검진을 통해 고객의 두피·모발 상태를 분석할 수 있다.

③ 두피 유형에 따라 관리 방법을 선택할 수 있다.

④ 모발 상태에 따라 관리 방법을 선택할 수 있다.

⑤ 다음번 방문 시 시술에 반영할 수 있도록 두피·모발 분석카드를 작성할 수 있다.

※ 주요 용어

문진, 시진, 촉진, 두피 유형, 상담카드

두피 SCALP

頭皮 = 머리 부위를 덮고 있는 피부

영양이 풍부하고 양지바른 토양에서 식물이 잘 자라듯 건강한 두피에서 건강한 모발이 자란다.

모발이 탄생하고 자라는 곳이 바로 머리 부위를 덮고 있는 피부, 즉 두피이다. 피부와 마찬가지로 각질 재생주기, 땀과 피지와 같은 천연 유·수분 보호막이 두피를 보호한다. 두피가 다른 피부와 다른 점이 있다면 얇은 솜털이 아닌 무성한 모발이 있어 피부의 건강과 함께 개성을 표현하는 중요한 신체 기관이다.

1. 두피·모발 상태 진단에 필요한 기기와 도구

1) 두피의 구조

두피는 신체를 감싸고 있는 다른 어떤 부분보다도 혈관이 풍부하게 분포되어 있으며 모구와 모유두는 모세혈 관계에 의하여 동맥과 정맥으로 연결되어 있다. 두피에는 약 10만 개의 모낭이 있으며 모낭은 모발이 발생되어 성장하는 시작 부위로서 발생학적으로 표피의 상피가 함입되어 형성된다. 두피에는 매우 조밀한 신경계를 갖고 있다. 각각의 5~12개의 신경섬유를 갖고 있어 머리카락을 매개로 하여 감각을 느끼게 한다.

두개골막을 매개로 하여 두피는 외피와 두개피, 두개 피하조직 등의 3층 구조로 구성되어 있으며, 두피와 두개골 사이의 두개골막은 얇고 섬유성이며 두개골 봉합부를 제외한 뼈에 약하게 유착되어 있다. 사고나 외과 수술로 인해 두개골이 드러난 경우 최후의 방어 층이다.

(1) 외피

두피를 둘러싸고 있는 외피는 두껍지만 그 밖의 부분에서는 매우 얇다. 피부하층부는 진피의 심층부와 두 개 피하골막의 표면을 덮고 있으며, 신경섬유로 연결되어 있는 세포조직으로 구성되어 있다. 세포 조직의 심층부에는 림프관과 두피의 신경 분포와 혈관 분포를 확실하게 하는 동맥, 정맥, 신경의 가지가 분포되어 있다.

(2) 두개피

두개골을 둘러싸고 있는 근육과 연결되어 있는 신경조직이다. 탄력성이 없으며 외부의 상처로부터 두피를 보호하는 역할을 한다.

(3) 두개 피하조직

지방이 없으며 얇고 이완된 층으로 쉽게 갈라진다. 두개 피하조직은 나이가 들수록 점차 이완도가 심해진다.

두피는 두개골의 표면을 덮고 있는 조직으로서 물리·화학적인 방법이 가해지는 외부 자극으로부터 뇌를 보호하는 동시에 전신 대사에 필요한 생화학적 기능을 영위하는 생명 유지에 불가결한 기관이다. 이러한 두개피는 방수성 및 탄력성이 있는 단단한 외피와 그 아래 외피를 지지하는 진피, 피하지방, 두개건막, 결합조직, 두개골로 구성되어 있다.

촉각, 압각, 통각 및 냉·온각 등의 감수기인 두피는 외층의 표피(epidermis)와 내층의 진피(dermis)로 구성되며, 그 아래에는 성긴 지방 결합조직인 피하조직(subcutaneous tissue)으로 구성되어 있다. 이들 각각의 층은 점막보다 유연성이 크고 기계적인 자극에 저항력 또한 강하다.

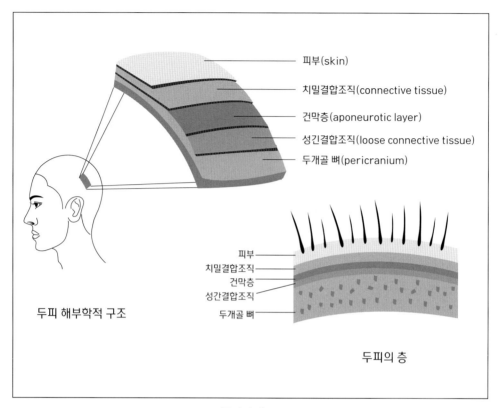

〈두개피의 구조〉

2) 모발의 구조

모발은 두피 바깥에 나와서 우리 눈에 보이는 모간부(hair shaft) 와 피부 내면에 함몰되어 들어가 있는 부분으로 두피 안쪽에 있는 모근부(hair root)로 크게 구별된다. 모근은 모발 성장이 일어나는 부분으로 이를 둘러싸고 있는 여러 부속 기관들이 있다. 모발의 발생은 모낭이 만들어졌을 때부터 시작되며, 두피와 모낭의 주변을 그림으로 도식하여 나타내면 그림과 같다. 모발의 구조는 크게 두 부분으로 나누어 생각해 볼 수 있다. 즉 하나는 피부 속에 박혀 있는 모근 부분과 다른 하나는 피부 밖으로 나와 있는 모간 부분이다. 모간부와 모근부의 구조와 기능, 그리고 그들의 일반적 구조 및 미세 구조에 대하여 좀 더 자세히 살펴보도록 하겠다.

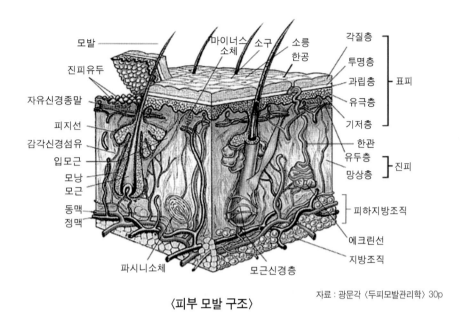

		마이너스 소구 소릉		각질층
모발		소체	한공	투명층
진피유두				과립층 표피
자유신경종말				유극층
피지선				기저층
감각신경섬유				한관
입모근				유두층 진피
모낭				망상층
모근				
동맥				피하지방조직
정맥				에크린선
				지방조직
파시니소체		모근신경층		

〈피부 모발 구조〉

자료 : 광문각 〈두피모발관리학〉 30p

(1) 모표피

모발의 가장 바깥쪽에 위치하고 있으며 생선 비늘 모양의 경(硬) 케라틴(hard keratin)이 여러 겹 겹쳐진 형태를 이루고 있다. 모표피는 전체 모발 부피의 10~15%를 차지하며 사람에 따라 5~20층으로 되어 있다. 모표피는 기름과 친화력이 강한 친유성으로 물과 약제에 대한 저항력을 지니고 있어 외적인 영향으로부터 모발의 내부 구조의 보호막의 역할을 한다. 그러므로 모표피가 단단하고 겹침의 상태가 건강함에 따라 저항모, 건강모 등으로 나뉠 수 있고, 모표피의 손상이 심하여 모발 내부의 단백질 성분이 소실되면 이를 다공성모, 손상모로 진단할 수 있다. 이러한 모표피는 강한 알칼리와 열과 같은 인자들에 의해 그 보호막이 느슨하게 된다.

■ 모발의 구조적 기능을 찾아보자.

- 모발 내부 구조 보호

- 모발의 광택 부여

- 알칼리 성분에 의해 모표피가 팽윤

- 모표피는 산성 성분에 의해 수축

① 에피큐티클(epicuticle)

가장 최외피층으로 두께 약 $10\mu\text{m}$ 정도의 얇은 피막으로 형성되어 있으며 수증기는 통과하지만 물은 통과하지 못한다. 단백질 용해성의 약품과 효소에 대한 저항성이 강하며 물리적인 손상에 약하다.

② 엑소큐티클(exocuticle)

시스틴 결합이 많은 비결정영역으로 시스틴 함량이 많이 존재하는 케라틴(Keratin)이다. 퍼머넌트 웨이브제와 같은 시스틴 결합을 절단하는 약품의 작용을 받기 쉬운 층이다. 즉 케라틴 침식성에 대한 저항력이 약하다.

③ 엔도큐티클(endocuticle)

가장 내측에 존재하며 시스틴 함유량이 적기 때문에 케라틴 침식성의 약품에는 강하나 단백질 침식성 약품에는 약한 층이고, 모표피 세포의 사멸된 핵이 있는 층이다. 세포막 복합체(CMC : cell membrane complex)가 양면테이프와 같이 인접한 세포들을 밀착시키고 있다.

■ 간충물질 CMC(세포막 복합체, cell membriane complex)의 역할

접착제 역할로 모발 내에서 시멘트 역할을 하는 것이다. 모발은 여러 겹의 세포층으로 이루어져 있는데 이 경우 CMC가 없으면 각 층이 분리되어 모발이 부스러지는 현상이 발생한다.

모표피와 모표피, 모표피와 모피질, 모피질과 모피질 등에 존재하는 유동체로 모발을 유연하게 한다. 외부로부터 이물질 침입에 의한 모발 손상을 막아준다.

피질 내의 수분이나 단백질이 용출되거나 반대로 외부로부터의 수분이나 약액 등이 모발 내부의 모피질에 침투하여 작용하도록 통로 역할을 하는 것으로 최근 중요성이 재조명되고 있다.

간충물질은 수분을 유지하고 탄력 있는 모발을 형성함으로써 헤어케어 역할과 염색 시 색소를 확실히 고착시키고 퇴색을 방지하며, 퍼머넌트 웨이브 시술 시에 간충물질의 이동으로 웨이브를 형성하고 유지한다.

(2) 모피질

모발의 85~90%를 차지하고 있는 모피질은 모발의 강도와 탄력성, 모발의 색을 결정짓는 멜라닌 색소가 함유되어 있는 중간 내부 층으로 모표피와 달리 물과 쉽게 친화하는 친수성을 지님으로써 모표피가 손상된 모발의 경우 물에 의해 모피질의 단백질이 소실되기 쉽다. 모피질의 내부 구조를 자세히 들여다보면 여러 단계의 섬유 다발들과 이를 둘러싸고 있는 피질세포와 세포 간 결합 물질인 간충물질(Matrix)로 구성되어 있다. 즉 결정영역(섬유상 단백질)과 비결정영역(간충물질)로 나뉜다. 결정영역의 피질 섬유들을 자세히 살펴보면, 가장 큰 섬유 다발들인 거대 섬유(Micro-fibril, 마크로 피브릴)와 거대섬유를 구성하고 있는 여러 개의 미세섬유(Macro-fibril, 마크로 피브릴), 미세섬유를 구성하고 있는 여러 개의 원섬유(Proto-fibril, 프로토 피브릴)들로 구성되어 있다. 원섬유는 다시 3개의 폴리펩티드 체인(Ploypeptide chain)들로 구성되어 있다. 3개의 폴리펩티드 체인들은 서로 화학적 결합들(측쇄, 주쇄결

합)을 통하여 연결되어 있다.

원섬유는 형태상으로 용수철과 같은 나선형으로 꼬여 있다. 이를 헬릭스(Helix) 구조라고 한다. 이 구조상의 특징으로 인하여 모발의 탄력성이 나타나게 되는데, 이는 볼펜 속 용수철과 같이 적절한 힘을 가하였을 때 늘어났다가, 힘을 뺐을 때 다시 원래의 모양으로 돌아가는 원리와 동일하다. 화학적으로 전자의 경우를 알파 헬릭스(α-helix)로, 후자의 경우를 베타 헬릭스(β-helix)라고 부른다. 또한, 이렇게 변화되는 것을 케라틴의 알파 베타 전이(α-β transformation of keratin)라고 하며, 이 현상은 수분이 가해지면 더욱 크게 된다.

① 결정영역

폴리펩티드가 규칙적으로 배열되어 있고 수소결합이 강한 부분으로서 화학반응을 일으키기 어려운 부분이다. 결정영역의 길이는 약 100㎛, 두께 1~6㎛, 직경 2~6㎛이다.

② 비결정영역

짧은 폴리펩티드 분자가 불규칙한 상태의 배열을 하고 있다. 결정영역에 비하여 부드러워서 화학 성분으로부터 손상을 받기 쉬우며 모발의 탄성을 좌우한다. 비결정영역에는 황 성분이 많기 때문에 시스틴 함량 또한 많다. 분자량은 약 1만 개이고 아미노산 수는 약 80개 정도로 결정영역의 분자량 8만 개와 아미노산 약 600~700개 정도에 비하면 적은 편이다.

(3) 모수질

모발의 중심부에 있는 모수질은 빈 공간으로 마치 벌집 모양의 다각형 세포가 길이 방향으로 나열되어 있으며 금발과 같이 가는 모발의 경우 모수질이 없는 경우도 있다. 모수질 내에는 공기가 차 있어 보온의 효과가 있다고 알려지고 있으며 대부분 형태가 일정하지 않은 단백질들이 간충물질로 들어 있다. 생모나 유아의 모발에는 거의 없는 것으로 알려져 있다. 그렇기 때문에 모수질의 성분과 기능 등은 아직 충분하게 해명되지 않았지만 약간의 멜라닌 색소를 함유하고 있으며, 시스테인(Cysteine)

함량은 모피질보다 적은 것으로 알려져 있다. 모발이 퍼머넌트 웨이브가 잘 되는 것은 굵은 모발은 시스틴 함량이 많기 때문이기도 하다. 한랭지에 서식하는 동물에는 모수질이 많게는 약 50%를 차지하며 이것이 보온의 기능을 하기도 한다.

(4) 모낭

모낭은 피하조직까지 움푹 들어가 있고, 관 모양으로 되어 있어 모근부(hair root)를 보호하는 자루 역할을 하고 있다. 모낭의 아래는 둥글게 모구부(hair bulb)를 감싸고 있으며, 모낭의 윗부분은 피지선이 연결되어 있다.

모낭과 모낭 주변의 구조는 다음과 같으며 각각의 구성 요소가 그 기능을 하여 모발을 성장시키고 있다.

(5) 모유두

진피 세포층에서 나온 모유두는 태어날 때부터 숫자가 결정되어 있고 모유두의 표면에는 수많은 모모세포로 덮여져 있어서 모발의 생장에 매우 중요한 역할을 한다.

이 모유두에는 모세혈관과 자율신경이 많이 분포되어 있으며, 아미노산, 미네랄, 비타민 등의 영양소와 단백질 합성 효소, 그리고 호르몬 및 산소가 공급되고 있다. 따라서 모유두의 활동이 왕성하면 모발이 건강하고 탈모가 적게 된다.

(6) 모모세포

모구부를 확대하면 모모세포가 모유두를 덮고 있다. 이 세포는 형태를 만들고 있는 세포 가운데에서도 특히 세포분열이 왕성하여 끊임없이 분열, 증식을 되풀이하고 있다. 이 모모세포가 모유두에서 영양을 받아 분열되면서 모발의 형상을 만들어 성장시키고 있는 것이다. 모유두의 정점 부분에서는 모수질(medula)이 될 세포가 분열하고, 그 아랫부분에서는 모피질(cortex)이 될 세포가 분열하여 가장 아래 외측에서는 모표피(cuticle)가 될 세포가 분열하여 위로 밀리고 있다.

모발의 색을 결정하는 멜라닌(melanin) 색소는 모모세포 옆의 별도의 색소 세포인 멜라노사이트(melanocyte)에서 생성되어, 모피질 또는 모수질이 될 세포로 이동하게 된다.

(7) 색소세포

모발의 색을 결정하는 멜라닌 색소는 모피질을 만드는 모모세포로부터 별도의 색소세포인 멜라노사이트에서 생성되어 모피질 또는 모수질의 색소를 형성한다. 멜라노사이트에서 만들어진 색소의 종류와 양에 따라서 개개인의 모발의 색이 결정되어진다.

2. 문진, 시진, 촉진, 검진을 통한 고객의 두피·모발 상태 분석

1) 두피 진단 목적

두피관리사는 상담을 통하여 1차적인 진단을 보다 정확하게 판단하고 고객의 두피 및 모발 상태에 적합한 프로그램을 세워야 한다. 두피관리는 두피 탈모 예방에서 관리의 효과 정도까지 판단할 수 있다.

두피 진단은 이를 위한 목적과 관리 중 변화되는 고객의 두피와 모발 상태를 체크하여 앞으로의 관리 방향 및 관리 기간 등을 총체적으로 판단하는 데 있다.

두피 진단부터 피지량, 두피의 색, 모공 상태, 모발 밀도, 비듬, 모발 굵기를 기준으로 측정하며 이를 통하여 전문적 케어 진단을 한다. 탈모나 발모 등의 처리는 물론 각종의 약액 처리를 할 때 모발 체크는 점점 중요해 지고 있다.

2) 검사와 진단

모발 진단은 정상인 머리카락에 어떤 변화가 생겼는지를 판정하는 것이다. 탈모 검사에서는 그대로 유리판에 끼워 현미경 밑에서 검사하면 여러 종류의 형태를 한 모근이 관찰된다. 모발의 표면 검사와 현미경 검사법을 하여 표본을 만들어 관찰한다.

(1) 문진(問診)

탈모의 원인이나 경과를 나타내는 중요한 단서가 되는 문진은 부분별 모발 진료 카드를 통해서 예진을 할 수 있다. 내원한 고객의 본인과 면접에 의한 질문이나 대화 의 방법으로 병력을 파악한다. 고객의 지금까지의 생활환경 진료기록카드(가정, 대 인관계, 직장 등) 등을 자세하게 알아내어 진료카드에 기록한다. 이 진료카드는 관리 기간의 시술 시마다 경과나 효과를 비교 판정하는 데 필요하다.

(2) 시진(視診)

두피나 두발의 건강 상태를 루페(lupe, 확대경) 등 진단기기를 사용하여 육안으로 자세히 검사한다.

(3) 모발 진단 방법

보고, 묻고, 만지고, 듣는 과정이다.
① 문진 : 상담카드 및 진단카드를 작성하기 위하여 현재의 증상과 경과, 셀프 케어 의 내용, 생활습관 등을 묻는다.
② 시진 : 눈이나 돋보기로 모발이나 두피를 조사한다. 두피의 색상, 염증, 질환, 각 질 상태, 피지 분비량과 상태, 모발의 손상 여부와 모근의 모양, 탈모량의 정도 등을 육안을 통해 확인한다.
③ 촉진 : 손가락의 감촉이나 빗질로 진단한다. 고객의 두피와 모발을 직접 만져보 며 피지와 땀의 분비량과 두피의 염증과 질환, 각질 정도를 파악한다.
④ 편광현미경 : 모간이나 모근의 표면, 손상 정도 등을 마이크로의 세계로 조사할 수 있다.

(4) 모발 진단 순서

① 관찰하고자 하는 부분은 모발을 잡아 평평하게 잡고 손바닥 위 혹은 검지나 중 지손가락 위에 얹고 조금 당기듯이 텐션(tension)을 주고 현미경 800배율 렌즈 가 관찰 면과 직각이 되도록 하여 천천히 움직여 가면서 초점을 맞춘다.

② 관찰하고자 하는 모발 섹션을 잡고 모근, 모간, 모선으로 관찰한다. 관찰하는 부위는 전두부, 두정부, 좌우, 측두부, 후두부 순서로 관찰한다.

③ 모발의 상태를 관찰하여 진단카드에 기록한다.

- 굵은 모, 중간 모, 가는 모, 직모, 파상모, 축모
- 지성, 중성, 건성, 탈모성
- 퍼머넌트(웨이브/스트레이트) 모, 염색모, 탈색 모, 미처리 모
- 백모 정도(0%, 30%, 50%, 100%)
- 길이(쇼트, 미디움, 롱)
- 두피 쪽 신생 모발의 손상 정도(건강, 약간 손상, 강한 손상)
- 모발 중간 부위의 손상 정도(건강, 약간 손상, 강한 손상)
- 모발 끝부분의 손상 정도(건강, 약간 손상, 강한 손상)

모발 진단은 모발의 물리적 특성을 기계를 사용하여 객관적인 수치를 파악하고, 과학적인 진단을 하는 경우가 있으며, 이와는 별도로 외관으로 보는 것, 촉감 등 경험적인 것으로 판단하는 경우가 많다.

3. 두피 유형별 관리 방법

건강한 두피는 연한 살색 혹은 연한 청백색의 투명한 톤을 유지하고 있다. 두피의 주변으로 윤곽선이 뚜렷한 모공에 땀샘이 있어 원활한 분비물의 분비를 돕고, 외부로부터의 영양분 흡수 기능을 가능하게 만들고 있다.

두피는 매우 조밀한 신경분포를 갖고 있다. 각각의 모상(毛狀)은 피부의 심층부에서 솟아오른 5~12개의 신경섬유를 갖고 있어 머리카락을 매개로 하여 감각을 느끼게 한다. 두개골막에 의하여 두개골을 싸고 있는 두피는 외피(표피와 진피로 구성), 두개피, 두개피하조직의 3개 층으로 구성되어 있다. 두개골막은 얇은 섬유상으로 뼈에 얇게 유착되

어 있다.

① 외피(common integument) : 동맥 정맥 신경의 가지가 분포
② 두개피(scalp) : 두개골(skull) 을 둘러싸고 있는 근육과 연결되어 있는 신경 조직인
결막
③ 두개 피하조직(cranium hypodermis) : 지방층이 없으며 얇고 이완된 층으로 쉽게
갈라진다.

1) 두피 유형

(1) 정상 두피

정상 두피는 연한 살색이나 푸른빛이 도는 우윳빛을 띠며 맑고 투명하고 정상적인 각화작용으로 두피가 가렵지 않고 모발에 윤기가 돌지만 기름지지 않은 이상적인 두피이다. 또한, 피지선에서 분비된 피지와 땀이 적당하게 섞여 있어 약산성의 피지막을 만들어 수분의 건조를 막고 촉촉하고 윤기가 난다. 노화 각질이나 불순물이 없이 모공 주변이 깨끗하며 모발은 매끄럽고 윤기가 나며 모공 입구가 열려 있어 영양분이 쉽게 흡수되고 있다. 한 개의 모공 안에 2~3개의 모발이 건강하게 자라고 있으며, 모발의 굵기가 적당히 균일하게 굵고 투명한 반사 빛을 낸다. 이런 건강한 두피가 유지될 때 모발도 건강하고 아름답게 관리된다.

(2) 건성 두피

모발 진단기로 보면 비늘 모양의 각질이 관찰되고 전체적으로 탁해 보이며 수분 부족과 피지 분비 이상으로 유 · 수분 공급이 원활히 이루어지지 않은 상태이다. 피지 분비선에서 피지가 소량만 분비되어 두피 표면이 건조한 상태를 보인다. 모발의 상태는 모발이 매우 건조하여 거친 느낌이며, 모발에 정전기가 잘 일어난다. 또한, 노화 각질의 모발 흡착으로 탄력이 저하되어 윤기가 없고 푸석푸석하다. 건성 두피는 크게 외인성 원인과 내인성 원인으로 나눌 수 있다. 부적절한 샴푸, 과도한 드라이,

퍼머넌트 웨이브와 염·탈색, 난방에 의한 건조한 공기 등의 자극이 원인이 되는 외인성 원인과 스트레스, 유전적 요인, 노화 과정, 호르몬 이상, 비타민 결핍, 신진대사의 이상에 의한 내인성 요인이 있다. 건조한 두피는 혈관의 기능 부전이나 장애로 인해 피지선과 한선의 기능이 떨어지며 피부 겉 산성막이 손상되어 극도로 당기며 가려움증, 염증, 피부 박리 등의 두피 손상을 일으킨다.

(3) 지성 두피

지성 두피는 샴푸 후 3시간만 지나도 모공 주위에 과다한 피지 분비와 노화 각질의 영향에 따른 피지 산화물의 누적으로 인하여 두피는 투명감이 없고 탁해 보이며 모공에 기름이 고여 보인다. 모발에 피지의 영양으로 매끄럽고 윤기가 나지만 피지 분비물로 인해 무거워 보이고 하루만 안 감아도 냄새가 나고 끈적거리며 두피에 뾰루지가 나기도 하고 가렵다. 또한, 비듬과 각질이 피지와 엉켜 모공이 막히고 모낭 안에는 박테리아가 많이 증식하여 피지의 주성분인 트리글리세리드를 리파아제라는 효소가 지방산과 글리세롤로 분해시켜 두피의 이물질 및 피지 산화물의 잔류로 냄새가 나며 탈모로 진행될 수 있다. 지성 두피는 청결한 관리가 무엇보다 필요하다.

(4) 민감성 두피

민감성 두피는 모세혈관이 확장되어 있어 외부의 약한 자극에도 따갑거나 발열 현상으로 예민하게 반응한다. 두피의 피지 조직이 얇아 표면에 모세혈관이 비치거나 군데군데 붉은 반점이 있고 두피의 가려움 현상도 생기며 혈액순환 저하에 의해 나타난다. 모발의 굵기 변화는 심하지 않지만 모발이 윤기가 없어지고 쉽고 모발이 가늘고 탄력이 없다. 민감성 두피는 두피의 자극을 최소화하면서 관리하는 것이 중요하다. 세균 방어 능력이 떨어져 작은 자극에도 염증이나 홍반을 나타내므로 관리 시 무리한 자극이나 마찰을 피해야 한다. 즉 민감성 두피의 관리는 두피에 최대한 자극을 줄이고, 붉은 반점이나 뾰루지, 가는 실핏줄, 홍반 및 출혈이 있는지 확인하고 두피를 진정시켜야 한다. 두피의 청결과 세균 번식의 억제 및 예방에 힘쓰며 적당한 운동과 신진대사를 원활하게 하도록 한다.

(5) 비듬성 두피

비듬성 두피의 경우 비듬의 근본적인 원인은 체내의 문제로 자극적인 음식, 고지방, 당분, 술 등의 섭취를 줄이고 채소, 해조류 등을 많이 섭취하고, 숙면을 취하며, 정신적인 안정과 스트레스를 받지 않아야 한다. 두피는 신진대사를 반복하며 자연히 각화되어 비듬으로 떨어지는데 피부 표면에서 완전히 떨어지기까지는 28일 정도가 걸린다. 비듬 피지의 과다 분비, 체내 호르몬의 불균형, 비듬균의 이상 증식 등에 의해 발생된다. 정상적으로 존재하는 비듬균인 피티로스포룸(pityrosporum ovale)의 이상 증식으로 비듬과 가려움증이 동반된다. 이 균이 정상적인 두피 내에서 증식하는 숫자보다 10~20배 이상 증식하면 비듬이 생기는 것이다.

두피관리에서는 비듬을 건성 비듬과 지성 비듬으로 분류한다. 건성 비듬은 염증이 없이 하얗게 일어나는 마른 형태의 비듬으로 심한 가려움증이 있으며 전체적으로 비듬이 들뜬 상태로 백색 톤이며 모공 주변이 얼룩져 보이는 것이 건성 비듬 두피의 특징이다. 지성 비듬은 염증이 동반되며 유분기가 많은 비듬의 형태를 가지고 있으며 땀이나 미세한 먼지들이 모근 주위에 잘 붙는다. 비듬의 형태는 넓은 판 모양으로 각질이 엉켜 누렇고 끈적이며 황색토의 불투명한 두피 톤을 갖고 있다. 비듬은 두피의 이상 증후이므로 빠른 조치가 이루어져야 하며 다른 두피 문제를 일으키지 않도록 주의하여 관리하여야 한다. 건성 비듬 두피는 주로 건조한 계절인 가을 겨울철에 많이 발생하며 지성 비듬성 두피는 여름철에 많이 발생한다.

(6) 염증성 두피

과도한 스트레스와 피로로 인한 호르몬의 불균형으로 두피 긴장과 혈액의 흐름 장애로 인해 발생한다. 두피에 염증이 생기면 비듬과 각질이 많이 생기는데 염증에 의해 표피세포의 분열 및 증식 속도가 빨라져 각질이 비정상적으로 많이 생긴다. 홍반이 생기고 염증이 심해지면 부분적으로 모낭에 고름이 잡힐 수 있고 염증이 심하거나 오래 지속된 경우에는 두피가 따끔거리거나 아픈 통증을 느끼게 되며 모발을 가볍게 잡아당길 때도 통증을 느끼게 된다. 피지선의 과잉 발달과 두피가 청결하지 못했을 때 발생하며 무의식적으로 두피에 손이 가고 긁는 버릇으로 인해 발생하기도 한다. 염증성 두피는 두피 표면에 혈액이 뭉쳐 있고 화농성 염증이 분포하며 미세한 자극에도 통증을 유발하고 두피 표면이 붉고 심한 경우 세균 감염으로 인한 다발성 염증이 동반된다. 두피가 약하고 예민한 경우에는 두피 염증이 잘 생기고 증상이 심하게 나타날 수 있다. 염증이 지속되면 건강하던 두피도 예민하게 변화하게 되어 치료에 오랜 기간이 걸리고 재발도 잘하게 된다.

(7) 탈모성 두피

이미 탈모가 진행된 두피도 모발이 한꺼번에 빠지지 않고 서서히 가늘어지고 점점 두피와 모발에 기름기가 많아지고 비듬이 늘어나며 모발이 탄력을 잃으면서 탈모가 진행되게 된다. 탈모성 두피는 두피의 혈액순환이 원활하지 못하거나 두피에 이물질이 오랜 기간 쌓이면서 두피의 색이 누렇거나 붉다. 또 모공에 모발의 수가 1개 정도밖에 없거나 모발에 없는 모공도 많다.

2) 관리 방법

(1) 두피관리

두피에 발생하는 문제점 및 현재의 상태를 시진, 문진을 통하여 체크하는 것이 육안 판단보다는 좀 더 과학적이다. 두피 진단을 위해서 체계적인 방안으로써 200~800배 정도의 두피 진단기 및 현미경 등을 통하여 두피를 관찰하는 것이 치료에 효과적이다. 관리자는 고객의 두피 상태에 따라 관리 프로그램에 세심한 배려가 필요하다.

(2) 두피관리카드

① 두피진단카드 : 피부에 나타나는 여러 가지 문제점을 기록한다.
② 두피관리 시의 종합 의견과 피부의 유형에 관하여 기록한다.
③ 날짜 기입 후 관리 절차에 따라 사용한 기기 사용과 시간 기록 및 제품명을 기록

한다.

④ 가정 관리란에는 고객이 가정에서 두피를 관리할 수 있는 홈케어 교육을 기록한다.

(3) 두피관리카드 작성 시 유의할 점

① 유전 및 후천적 악화 인자, 관리 방법 등 고객이 느끼는 문제점을 이야기하도록 유도한다.

② 두피관리 순서는 고객의 의견을 먼저 듣고 이견이 있을 경우 고객의 희망 사항을 최대한 존중하며 설득한다.

③ 제품은 현재 사용하고 있는 제품을 최대한 활용하게 하고, 이 제품이 부작용이 있는 경우에는 단계적으로 교체하도록 유도한다.

④ 관리 내용을 가능한 상세히 적어 방문할 때마다 두피 변화를 체크한다.

⑤ 고객이 문제점을 카드에 메모하여 방문할 때마다 재교육을 실시한다.

4. 모발 유형별 관리 방법

1) 모발 유형

(1) 지성 모발

지성 모발은 모낭의 피지선에서 정상보다 많은 양의 피지를 분비하는 모발이다. 이러한 모발은 오염물질이 잘 붙고 칙칙하게 보일 수 있다.

(2) 건성 모발

건성 모발은 선천적인 요인과 후천적인 요인이 있는데, 선천적인 요인으로는 모발의 발생 과정으로 모발의 천연보습인자(natural moisturizing factor : NMF)인 아미노산의 혼합물이 부족된 상태에서 성장한 것이다. 따라서 모발에 수분을 저장시키는 힘이 없는 한편 피지의 분비가 부족하여 모발의 수분이 증발하는 것을 막는 피지막 형성이 생기지 않는 경우이다. 건성 모발은 손상 모발에 해당된다.

(3) 정상(건강) 모발

피지 분비량이 적당한 정상(건강) 모발은 모발에 윤기가 흐르는 이상적 모발 타입이다. 이러한 모발의 관리는 이 상태를 계속 유지시켜 주는 것이 중요하다.

(4) 손상 모발

손상 모발은 퍼머넌트 웨이브, 염색과 탈색 등 화학적 시술로 인하여 손상이 발생한다. 이들에 사용되는 화학약품은 모발의 수분을 증발시키고 케라틴의 구조와 모표피의 비늘을 변형시키는 등의 작용으로 윤기가 없어지며 모발 끝이 갈라진다. 또한, 모발은 펩타이드는 주쇄와 측쇄로 단단하게 결합되어 있지만, 산·알칼리, 산화·환원제를 사용하면 측쇄는 늘어나거나 절단될 수도 있으며 때로는 주쇄까지도 끊기는 경우가 있다. 그러나 대부분은 원래의 상태로 복원되지만 시스틴이 시스테인으로 변화되면 영구 변성모가 된다. 시스틴 함유량이 저하되면 모발은 자연히 강도와 신장도가 저하되어 약한 모발이 되어 버린다.

약품에 의한 화학 변화는 외관상으로는 눈에 보이지 않지만, 모발에는 치명적인 손상이다.

또한, 자외선에 의한 변성은 케라틴의 화학 성분인 아미노산이 변성되어 시스테인의 함유량이 저하된다. 모발의 탄성이 약해지거나 퍼머넌트 웨이브 시술 시 웨이브가 잘 형성되지 않게 된다. 그러므로 너무 잦은 화학적 시술은 피하는 것이 좋고, 자외선이 강할 때는 모자를 쓰는 등의 대책을 마련해야 한다. 그리고 퍼머넌트 웨이브나 염색, 탈색 후에는 반드시 트리트먼트를 해 주어야 한다.

2) 관리 방법

(1) 모발관리

모발에 발생하는 문제점 및 현재의 상태를 시진, 문진을 통하여 체크하는 것이 육안 판단보다는 좀 더 과학적이다. 두피 진단을 위해서 체계적인 방안으로 200~800배 정도의 모발 진단기 및 현미경 등을 통하여 모발을 관찰하는 것이 치료에 효과적이다. 관리자는 고객의 모발 상태에 따라 관리 프로그램에 세심한 배려가 필요하다.

(2) 모발관리카드

① 모발진단카드 : 모발에 나타나는 여러 가지 문제점을 기록한다.
② 모발관리 시의 종합 의견과 유형에 관하여 기록한다.
③ 날짜 기입 후 관리 절차에 따라 사용한 기기 사용과 시간 기록 및 제품명을 기록한다.
④ 가정 관리란에는 고객이 가정에서 모발을 관리할 수 있는 홈케어 교육을 기록한다.

(3) 모발관리카드 작성 시 유의할 점

① 유전 및 후천적 악화 인자, 관리 방법 등 고객이 느끼는 문제점을 이야기하도록 유도한다.
② 모발관리 순서는 고객의 의견을 먼저 듣고 이견이 있을 경우 고객의 희망 사항을 최대한 존중하며 설득한다.
③ 제품은 현재 사용하고 있는 제품을 최대한 활용하게 하고, 이 제품이 부작용이 있는 경우에는 단계적으로 교체하도록 유도한다.
④ 관리 내용을 가능한 상세히 적어 방문할 때마다 모발 변화를 체크한다.
⑤ 고객의 문제점을 카드에 메모하여 방문할 때마다 재교육을 실시한다.

5. 다음번 방문 시 시술에 반영할 수 있도록 두피 · 모발 분석카드를 작성

1) 상담

올바른 두피, 탈모관리는 관리실에서의 관리가 아닌 평상시 고객의 생활환경으로부터 시작되므로 고객의 라이프 스타일을 파악하는 상담은 관리에 있어 절대적인 부분이며 고객을 알 수 있는 기회이다. 올바른 상담은 고객의 정신건강 개선과 더불어 관리의 효과를 상승시키는 작용을 하며, 더 나아 전반적인 관리 프로그램을 결정짓는 중요한 요소이다. 상담은 도움이 필요한 사람이 전문적인 지식과 교육을 받은 사람과의 관계를 통해 자기의 생활과 정상의 문제를 해결하고 생각, 감정, 행동 측면의 발전적 차원을 위해 노력하는 학습 과정이다.

두피관리 차원의 상담은 두피관리사에게 고객과의 1:1 대화 과정을 통하여 고객 두피 및 모발에 대한 문제점을 라이프 스타일이나 건강 상태 등을 체크하여 고객에게 두피 관련의 문제점에 대한 해결 방안을 제시하고 행동으로 옮길 수 있도록 도와주는 과정을 의미한다.

상담은 고객과의 대화에 의해 전문가다운 언어를 사용하여 문제를 해결하는 과정이라고 할 수 있으며, 두피관리 상담의 목적은 3단계로 나누어진다. 1단계 두피 모발 탈모에 관한 정보와 지식을 전달하여 고객의 인식이나 태도를 바꾸도록 도와준다. 2단계 두피 관련의 문제점을 발생시킬 수 있는 생활습관을 지적하여 좋은 생활습관으로 변화하도록 도와준다. 3단계 개선된 생활습관을 유지하도록 도와준다.

상담은 고객의 바람직한 방향으로 바뀌도록 도와주고 자율 의지를 가지게 하는 과정이며, 상담의 최종 목적은 고객 스스로 생활 전반에 걸친 자기 조절임을 인식하게 하는 것이다. 두피관리에 있어 상담이란 상담자(관리사)가 모발의 문제점을 해결하기 위해 내원한 고객에게 올바른 관리법을 지도하여 고객의 욕구를 충족시켜 주는 4가지 요소로 구성된다.

2) 고객관리카드 작성 방법

(1) 두피관리를 위한 상담, 진단 및 관리 절차

① 고객 상담(방문 목적 파악, 두피 문제 파악)

② 고객카드 및 내담자 문진표 작성

③ 두피진단카드 작성

④ 문제 해결을 위한 제시

⑤ 결과

⑥ 티케팅(ticketing)

(2) 두피 및 모발관리

① 두피관리

② 후 관리 (home care)

③ 다음 일자 예약

(3) 관리 실제

① 상담(문진표 작성, 고객상담카드)

고객 관리 기본 사항		
방문일 : 201 년 월 일	고객명 :	
연 령 : 세	연락처 :	
주 소 :	직 업 :	
E mail : @	방문동기 : □ 인터넷 □ 신문 □잡지 □ 라디오/TV □간판 □소개 □기타	
신장 및 체중 : cm/ kg	혈액형 : □ A형 □ B형 □AB형 □O형	생리주기 : □규칙 □불규칙 (일)
경구용 피임약 복용 여부 : □ Yes □ No	흡연 여부 : □ ( )갑/일 □ No	음주 여부 : 주 ( )회 □No
두피 및 모발 문제점		
두피 문제점 : □ 비듬 □ 홍반 □ 염증 □ 악취 □ 기타( ) 모발 문제점 : □ 갈라짐 □ 탄력 없음 □끊어짐 □ 건조 □ 웨이브 □ 염색모 □ 백모 □ 가늘어짐 □기타( )		
생활 패턴 진단 사항		
현재 사용 중인 샴푸제 : ( )	샴푸 횟수 및 시간대 : ( )회 / ( )일, 아침/저녁	브러시 : □돈모 □플라스틱 □나무 □기타
1일 브러싱 횟수 : ( )	스타일링제 사용 여부 □ Yes □ No	펌 염색주기: ( )회/ ( )개월
건강상태 및 생활 패턴 진단(life style) answlsvy		
□ 집안에 탈모된 사람이 있다. □ 부계 □ 모계 □ 피부가 거칠고 건조하다. □ 여드름 및 뾰루지가 있다. □ 갑상샘 기능 저하증이 있다. □ 두드러기가 잘 난다. (알러지) □ 두피에 피지가 많이 분비되는 편이다. □ 두피에 땀을 많이 흘리는 편이다.	□ 식생활이 불규칙하다. □ 식후 소화가 잘 안된다. □ 인스턴트 식품의 섭취가 잦다. □ 의욕이 없고 집중력이 떨어진다. □ 스트레스를 받는다. □ 두통이 자주 온다. □ 성격이 급하다. □ 신경이 예민하다. □ 피로가 자주 온다. □ 수면이 불안정적이며, 항상 수면 부족을 느낀다. □ 매사에 긴장을 잘한다.	□ 최근에 큰 수술을 받은 적이 있다. □ 항정신과 치료를 받은 적이 있다. □ 몸에 지병이 있다. □ 현재 건강상의 복용 중인 약물이 있다. □ 혈압이 높다. □ 혈압이 낮다. □ 손발이 차고 아랫배가 냉하다. □ 두상에 열이 오르느 증세가 있다. □ 목, 어깨, 등이 결리고 뒤통수가 무겁다.
□ 개	□ 개	□ 개

상담자 소견

두피 진단

측정 시간 : 샴푸 세정 후 ( ) 시간	두피 톤 : □ 정상 □ 혼탁 □ 얼룩 □ 붉음 □ 기타	모공 상태 : □ 막힘 □ 보통 □ 열림
피지 분비 상태 : □ 과다 □ 정상 □ 소량 □ 원활 □ 장애 □ 기타( )		모낭충 기생 여부 : □ Yes □ No
각질 상태 : □ 과다 □ 정상 □ 소량 □ 원활 □ 장애 □ 기타( )		
두피 질환 : □ 과다 □ 정상 □ 소량 □ 원활 □ 장애 □ 기타( )		
땀 분비량 : □ 과다 □ 정상 □ 소량 □ 원활 □ 장애 □ 기타( )		기타 특이사항 :
두피 타입 : □ 정상 □ 약건성 □ 건성 □ 지루 □ 지성 □ 건성 비듬 □ 지성 비듬 □ 혼합비듬 □ 염증성 □ 예민성 □ 탈모진행형 □ 기타( )		

두피 온도 체크 사항

1. 20 년 월 일 두피 온도 측정	측두부(귓속)	두정부
2. 20 년 월 일 두피 온도 측정	측두부(귓속)	두정부
3. 20 년 월 일 두피 온도 측정	측두부(귓속)	두정부
4. 20 년 월 일 두피 온도 측정	측두부(귓속)	두정부
5. 20 년 월 일 두피 온도 측정	측두부(귓속)	두정부

모발 진단

모발 진단	지성 모발	건, 민감성 모발	몹합성 모발
손상 정도	끝이갈라진 모발	끝이 부서진 모발	퍼머한 모발
모발 상태	버진헤어/일반염색/헤나	블리치	산성칼라/매니큐어
모발의 굵기	굵은 모발	보통 모발	가는 모발
모발의 길이	긴 모발	중간 모발	짧은 모발

탈모 문제점 체크 사항
탈모 유형 : □ M자형 □ O자형 □ MO자형 □ C자형 □ U자형 □ 원형탈모(단발, 다발, 전두, 악성, 사행성) □ 기타 (   ) □ 여성형 1단계 □ 여성형 2단계 □ 여성형 3단계

모발 굵기 : □ 연모 □ 정상 □ 경모 □ 기타 ( )mm	탈모 진행률 : ( ) %/100%

탈모 문제점 체크 사항
두피 및 탈모 원인 :
Care Program : □ 1단계 (회) □ 2단계 (회) □ 3단계 (회) □ 특수관리 (회)
Care 기간 : □ 1개월 □ 3개월 □ 6개월 □ 9개월 □ 기타(개월)
관리 제품 :
관리 시 주의 사항 및 체크 사항 :
다음 방문 예약일 :

(4) 주요 기록 사항

① 인적 사항 : 성명, 나이, 전화번호, 주소, 이메일 주소

② 과거 두피와 모발의 문제점

③ 병력, 음주와 흡연, 그리고 최근 다이어트 경험

④ 여성의 경우 출산 여부와 생리주기

⑤ 의약품 사용 여부

⑥ 스트레스 체크

⑦ 운동 여부와 종류, 장소, 규칙성 : 운동을 통한 혈액순환, 신진대사의 정도

⑧ 근무 환경 체크

⑨ 알러지 체크

⑩ 사용 제품의 습관 기록

※ 수행 평가(체크리스트)

	항 목	자가 진단		
		우수	보통	미흡
1	두피·모발 상태 진단에 필요한 기기와 도구를 준비할 수 있다.			
2	문진, 시진, 촉진, 검진을 통해 고객의 두피·모발 상태를 분석할 수 있다.			
3	두피 유형에 따라 관리 방법을 선택할 수 있다.			
4	모발 상태에 따라 관리 방법을 선택할 수 있다.			
5	다음번 방문 시 시술에 반영할 수 있도록 두피·모발 분석카드를 작성할 수 있다.			

고객카드 작성

SCALP CARE & TRICHOLOGY **2** PART

두피관리 하기

※ 두피관리 하기

학습	수준		학습 내용	이수 시간
1201010112_16v3.2 두피관리 하기	4	2.1	두피 유형에 따라 샴푸제를 선정하여 시술할 수 있다.	15
		2.2	두피 유형에 따라 스케일링 제품을 선정하여 시술할 수 있다.	
		2.3	두피 스케일링 효과를 높이고 두피의 혈액순환을 돕기 위해 두피 메뉴얼 테크닉을 할 수 있다.	
		2.4	영양 공급과 유·수분 균형 조절을 위해 팩과 앰플을 사용할 수 있다.	
		2.5	두피관리에 필요한 기기와 기구를 선택하여 사용할 수 있다.	

http://www.ncs.go.kr

※ 학습 모듈 개요

두피 유형에 따른 샴푸제를 선정하여 시술할 수 있다. 두피관리 전 스케일링, 브러싱 등 매뉴얼 테크닉을 학습하여 두피관리하며 두피관리에 필요한 기기를 선택하여 사용할 수 있다.

※ 학습 목표

① 두피 유형에 따라 샴푸제를 선정하여 시술할 수 있다.
② 두피 유형에 따라 스케일링 제품을 선정하여 시술할 수 있다.
③ 두피 스케일링 효과를 높이고 두피의 혈액순환을 돕기 위해 두피 메뉴얼 테크닉을 할 수 있다.
④ 영양 공급과 유·수분 균형 조절을 위해 팩과 앰플을 사용할 수 있다.
⑤ 두피관리에 필요한 기기와 기구를 선택하여 사용할 수 있다.

※ 주요 용어

두피 유형, 스케일링, 두피 메뉴얼, 두피관리 기기

1. 두피 유형에 따른 샴푸제 선정 및 시술

1) 두피 유형에 따른 관리 방법

두피관리란 두피를 청결히 하고 비듬이나 가려움을 방지하며 두피를 보호하여 탈모를 방지하고 육모 촉진까지 포함된다. 이러한 두피관리는 두피에 물리적 자극을 주는 물리적 방법과 헤어토닉 등의 제품을 사용하여 두피 및 모발 생리 기능을 촉진시키는 방법 등이 요구되고 있다.

(1) 정상 두피

현재의 정상 두피를 지속할 수 있도록 관리한다. 꾸준히 주기적으로 스케일링과 두피 마사지를 통하여 두피와 모공에 쌓인 각질과 피지를 제거해서 유·수분 밸런스를 유지하도록 관리해 준다. 정상 두피는 올바른 샴푸와 적절한 두피·모발 관리, 올바른 식생활 등으로 적절한 상태를 유지하면서 영양을 공급하여 현재의 상태를 유지하는 것에 중점을 두어 관리한다.

(2) 건성 두피

막혀 있는 모공에 스케일링과 혈액순환에 초점을 두고 관리한다. 두피에 영양을 공급하여 건강해질 수 있도록 한다. 특히 수분 공급과 영양 공급이 중요하며 오래된 각질 및 비듬 제거와 피지 분비가 원활히 이루어지도록 보습성이 함유된 약산성 샴푸를 사용하여야 한다. 건조한 두피와 모발에 유·수분 밸런스를 위하여 앰플과 영양성분을 공급한다.

(3) 지성 두피

막힌 모공으로 모근세포의 호흡작용에 이상이 생겨 원활한 영양 공급이 되지 않아 모발이 가늘어지고 탈모가 일어날 수 있으므로 막힌 피지 응고물을 제거하기 위해 스케일링 후 샴푸할 수 있도록 한다. 지성 두피의 경우 자극적인 음식과 기름진 음식은 피지선을 자극하여 더욱 지성화되므로 가급적 피하고, 샴푸 후에는 피지 조절이 가능한 트리트먼트를 이용해 유·수분 밸런스가 이루어질 수 있도록 관리한다. 1~2일에 한 번 샴푸를 하도록 권하고 피지 분비를 조절할 수 있는 성분이 함유된 제품을 사용하도록 한다.

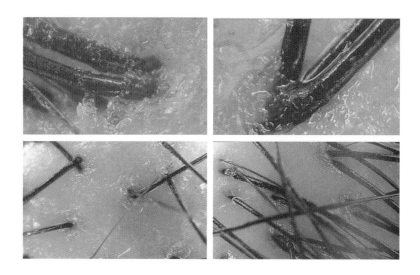

(4) 민감성 두피

두피가 민감하여 모근이 약해져 있는 상태이므로 두피에 자극을 최소화하여 세정한다. 청결하게 두피를 관리하여 세균 번식을 억제하고 확산시키지 않도록 해야 하며, 저자극 샴푸를 이용한다. 두피의 안정화를 위하여 케어가 필요하며 건조해져 가려움이 생기지 않도록 적절한 보습 관리도 필요하다.

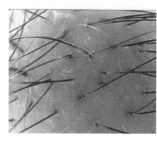  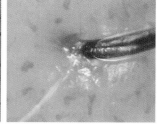

(5) 비듬성 두피

비듬 전용 제품을 통하여 관리하도록 한다. 두피의 살균 · 소독에 맞추어 관리하고 샴푸는 저녁에 할 수 있도록 한다. 비듬의 원인균을 제거해 주기 위해 비듬을 만드는 요소를 제거할 수 있도록 전문 기관의 조언을 얻는다.

(6) 염증성 두피

염증성 두피의 경우 탈모로 쉽게 진행되므로 피부과 전문의의 진찰 및 관리를 주기적으로 할 수 있도록 조언한다. 염증으로 인하여 청결하게 관리하며 손톱을 이용하여 두피를 긁지 않도록 한다.

 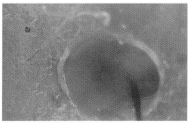

(7) 탈모성 두피

두피뿐만 아니라 모발도 매우 약하므로 화학 성분이 든 샴푸는 피하고 저자극 식물성 탈모 전용 샴푸를 사용한다. 지속적으로 악화되는 탈모를 예방하는 차원에서 두피 스케일링, 두피의 유·수분 밸런스, 영양 관리 등 주기적인 관리를 한다. 전문적인 치료의 목적으로 심한 탈모로 진행되는 것을 막을 수 있도록 조언한다.

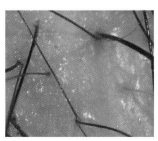  

2) 샴푸

샴푸는 모발이나 두피의 세정을 뜻하는데 고객에게 행하는 최초의 서비스이고 헤어스타일을 만들기 위한 기본적인 행위이다. 그러므로 모발 타입에 맞는 좋은 샴푸를 사용하여 가치를 높여야 한다.

두피에는 수많은 모발이 밀집되어 있다. 동양인은 대략 10만 개의 모발이 있다. 이 두피에서 분비된 피지, 땀, 그 밖의 죽은 각질, 먼지, 헤어 제품 등이 서로 뒤섞여 시간이 지나면서 악취를 내고 이와 같은 상태를 방치하게 되면 두피에 세균이 번식하여 피지나 그 밖의 유기물을 분해하기 때문에 두피가 가렵고 비듬이 생기며 모발의 윤기도 상실할 수 있다. 따라서 무엇보다도 이러한 상태가 오래 지속되면 탈모의 원인이 될 수 있으므로 샴푸를 통하여 두피와 모발의 청결에 유의하여야 한다.

(1) 샴푸의 조건

① 샴푸 후 잘 헹구어질 것
② 모발에 광택 및 유연성을 줄 것
③ 일정한 점도를 유지할 것
④ 세발 후 정전기를 띠지 않을 것
⑤ 강한 향을 발산하지 않고 향기로울 것
⑥ 강알칼리, 강산은 피할 것
⑦ 적당한 세정력을 가질 것
⑧ 크리미(creamy)하고 풍부한 지속성이 있는 거품이 일어날 것
⑨ 샴푸 중 마찰에 의한 손상으로부터 모발을 보호하는 것
⑩ 두피, 모발 및 눈에 대한 안정성이 높을 것

(2) 샴푸의 세정작용

두피의 더러움은 어떤 작용에 의해 제거되는지에 대한 관점에서 생각해 볼 필요가 있다. 샴푸의 세정작용에는 여러 힘이 이용된다.

① 계면활성제의 커다란 작용는 표면장력 저하작용이다. 표면장력이란 컵에 물을 가득 따를 경우 넘치지 않은 상태의 부풀어 오름으로 액체의 표면이 위축되는 힘이다.

② 샴푸 시 모발에 물이 흡수되는 습윤작용도 있다. 습윤작용은 젖는 것을 말한다.

③ 침투작용은 골고루 스며들게 하고 물체의 작은 구멍에도 잘 들어가게 하는 작용이다.

④ 가용화작용은 유성물질의 주위에 계면활성제의 분자가 친수기 외측으로 둘러싸여 용해한다. 이것을 가용화라하고 활성제는 친수성이 높은 것을 사용하고 가용화된 유지는 작은 입자가 되어 완전히 수중에 분산되고 용액은 반투명하게 한다. 미셀은 가용화되어 계면활성제가 친수기 외측으로 둘러싸고 있어 이 분자의 집단이 마치 한 개의 분자와 같이 물에 용해된 것처럼 된다. 이러한 분자의 집합체를 미셀이라 한다.

⑤ 미셀의 한계농도는 미셀을 만드는 것은 계면활성제의 농도에 따른 것이다. 이것이 미셀 한계 농도이다. 샴푸의 경우 모발에 부착되어 잇는 기름을 활성제가 둘러싸고 모발에서 분리시켜 물 쪽으로 이동시키지 않으면 안 되기 때문에 어느 정도의 농도가 필요하다.

3) 샴푸 시술 방법

두피 전체에 둥글게 원을 그리듯이 마사지하고 두부를 전체적으로 가볍게 손가락으로 튕겨 마무리한다.

샴푸 시술 시 물의 온도는 38~40℃가 적당하며 샴푸로 마사지할 때에는 손톱이 아닌 손끝 지문을 이용하여 가볍게 두피 전체를 지그재그 방향으로 마사지한다. 샴푸제는 한 번에 많은 양을 사용한다고 세정력이 높은 것이 아니므로 적당량을 사용하도록 한다.

 ① 샴푸 시 이물질이 묻지 않도록 얼굴을 보호
해 준다.

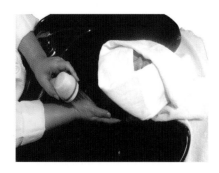 ② 모발 전체에 물을 고르게 흡수시킨 후 거품
을 내준다.

 ③ 전두부에서 측두부 방향으로 큰 원을 그리
듯 마사지한다.

 ④ 두 손을 이용하여 측두부에서 후두부 방향
으로 지그재그 방향으로 마사지한다.

5 한 손은 고정하고 다른 한 손을 이용하여 후 두부에서 백회 방향으로 끌어올리며 마사지 한다.

6 헤어라인을 지압하듯 작은 원을 그리며 마 사지한다.

7 귀에 물이 들어가지 않도록 손으로 물을 조 정하며 헹군다.

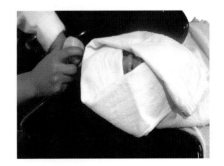

2. 두피 유형에 따라 스케일링 제품을 선정하여 시술하기

1) 브러싱

두피관리의 첫 단계로서 브러싱을 통하여 두상을 파악하고 두피와 모발의 상태를 알수 있으며, 고객의 상태를 편안하고 안정을 시킬 수 있는 단계이다.

샴푸 전의 브러싱은 헝클어진 모발을 정리해 주고 샴푸 시술을 용이하게 하며 두피의 혈액순환을 도와주는 효과가 있다. 또한, 두피를 자극시켜 피지 분비를 촉진시키고 두피 부분의 피지를 모발의 끝부분까지 고루 분포하게 한다. 지성 두피의 경우 피지 분비가 왕성해질 수 있으므로 자주 하지 않는 것이 좋다. 모발에 묻어 있는 이물질을 제거하고, 두피의 혈액순환을 좋게 하며, 샴푸 전 모발을 정리해 준다. 두피를 심하게 자극시키지 않는다. 정전기가 발생하지 않는 소재의 브러시를 선택해야 한다.

① 정수리(백회) 방향으로 좌우로 나누어 브러싱한다.
② 전두부에서 백회(정수리), 좌측 측두부에서 백회(정수리), 우측 측두부에서 백회(정수리) 방향으로 브러싱한다.
③ 엉킨 머리카락을 정리한 뒤 여러 번 반복한다.
④ 모발을 정리하며 마무리한다.

〈브러싱〉

2) 스케일링

노화된 각질, 피지 분비물, 비듬 등이 두피에 쌓이게 되면 모발의 성장뿐만 아니라 두피의 건강에 까지 영향을 준다. 이러한 두피의 이물질을 제품과 기계를 이용하여 제거하는 것을 두피 스케일링이라고 한다. 모발의 두피관리에 있어 가장 기초적이며 근본이 되는 관리이다.

두피의 이물질은 외부로부터의 영양 흡수를 방해하고 두피에 가려움증이나 염증을 유발한다. 또 장기간 방치하였을 경우 탈모로 이어질 수 있으므로 꾸준한 관리가 중요하다. 두피의 노폐물과 오래된 각질 제거를 통하여 두피에 영양을 공급하기 위함이다.

두피 면봉을 이용해 모공 주변에 노화된 각질, 비듬, 피지 노폐물, 염증 등을 깨끗이 잘 닦아낸다. 두피 상태에 따라서 스켈일링 제품을 선택하고 스켈일링 용액을 사용할 경우 자연방치하거나 헤어 스티머를 이용하여도 된다. 각질이 과다한 경우 예민성, 민감성 두피의 경에 따라 헤어 스티머 시간을 조절한다.

(1) 지성 두피 : 피지가 과도하게 생성되므로 피지 제거에 주안점을 두어야 한다.
(2) 민감성 두피 : 두피를 안정시키기 위해 유/수분의 균형에 주안점을 둔다.
(3) 비듬성 두피 : 각질 등을 제거, 감소시키기 위해 피지 조절과 곰팡이 등의 서식 환경을 차단하는 것이 중요하다.

〈스케일링〉

① 모발을 전체 4등분/5등분 하여 얇게 슬라이싱 한다.

② 스틱으로 시술 시 깔끔하게 10mm 간격을 왔다갔다 2회 반복 후 제품을 도포한다.

③ 제품 도포 후 섹션의 길이만큼 왕복 2회 반복한다.

④ 모발을 정리하여 마무리한다.

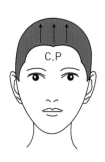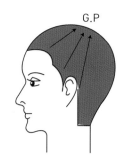

3. 메뉴얼 테크닉

1) 매뉴얼 테크닉 얼굴 마사지

손가락의 압력을 이용하여 경혈점을 자극함으로써 몸속 독소의 배출을 촉진하고, 에너지의 흐름을 원활하게 하여 내부 장기의 기능을 개선하고, 혈액순환을 좋게 하여 몸의 기능을 향상시킨다.

- 인당 : 두통, 콧병
- 사죽공 : 안면 근육의 경직, 눈썹 끝단의 모공 확장
- 정명 : 눈 질환에 효과
- 찬죽 : 눈 질환에 효과

- 승읍 : 눈물이 난다는 뜻의 혈 · 주로 눈 질환에 응용
- 사백 : 동공 아래 1촌으로 안면 근육의 경직, 눈꺼풀 떨림, 눈가주름, 눈밑 처짐에 효과
- 거료 : 볼의 늘어짐 방지, 얼굴형을 예쁘게 한다.
- 영향 : 향기를 맡는다는 뜻으로 코막힘에 효과
- 권료 : 안면 근육 뭉침
- 인중(수구) : 기절과 같은 응급 질환
- 화료 : 이명, 두통, 안면신경마비 및 경련에 응용
- 지창 : 눈병과 안면마비에 효과
- 승장 : 안면 부종, 구내염
- 상염천 : 혀의 운동, 기침, 천식, 갑상선종
- 협거 : 얼굴 근육 뭉침 방지 및 얼굴 라인을 예쁘게 한다.
- 하관 : 얼굴 근육 뭉침 방지 및 볼살의 뭉침 또는 늘어짐을 방지
- 상관 : 편두통, 치통, 안면 신경 마비, 이명
- 태양 : 눈근육을 풀어준다.

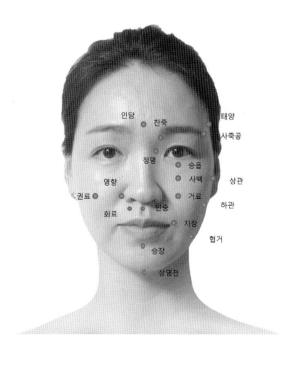

2) 귀 마사지

손가락의 압력을 이용하여 경혈점을 자극함으로써 몸속 독소의 배출을 촉진하고, 에너지의 흐름을 원활하게 하여 내부 장기의 기능을 개선하고, 혈액순환을 좋게 하여 몸의 기능을 향상시킨다.

① 귀 주무르기
② 귀 당기기
③ 가볍게 두드리기

• 이문 : 안면 근육의 경직, 턱선의 경직
• 청궁 : 중이염, 청신경염, 치통, 안면신경마비
• 청회 : 안면 근육의 경직, 안면의 붉어짐
• 예풍 : 여드름, 얼굴 근육의 경직, 안면의 비화농성 여드름, 모낭의 각화, 볼 주위의
  여드름

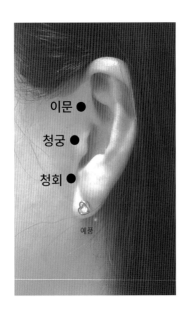

3) 두피 마사지

두피의 혈액순환을 돕고 두피 영양 공급을 더욱 효과적으로 할 수 있다.

① 두피 문지르기
② 모근 자극하기
③ 모상건막 끌어올리기
④ 두피 두드리기(컵핑)
⑤ 정리

- 백회 : 두통에 효과
- 신정 : 정신질환, 비염, 안과질환에 응용
- 아문 : 경추의 중앙 두통, 중풍
- 곡차 : 코가 막힘, 콧등 주름
- 천주 : 머리를 지탱하는 기둥의 뜻으로 두통, 어지럼증에 효과
- 두유 : 여드름, 두통에 효과, 푸석한 얼굴 혈색에 도움
- 풍지 : 어깨 근육 경직, 경합 부위의 비대, 안면 부종에 도움

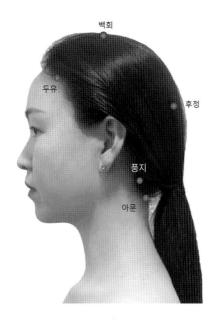

4) 어깨 마사지

① 상박 주무르기
② 상박 비틀기
③ 상박 두드리기(컵핑)
④ 스트레칭

- 견정 : 어깨 부위 통증, 목이 뻣뻣한 증상, 견갑, 견배통
- 병풍 : 견갑통, 어깨 통증에 효과
- 견료 : 견갑통, 목통, 편두통
- 견우 : 견갑통
- 견중유 : 견배통, 근육 통증
- 견외유 : 목, 어깨 등 팔꿈치 통증, 견갑통
- 천종 : 견갑통, 오십견

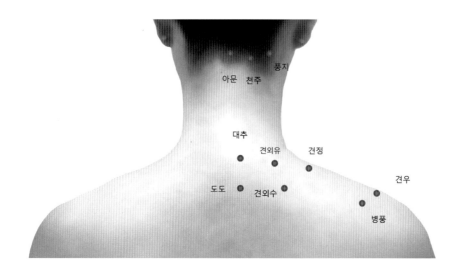

4. 영양 공급과 유·수분 균형 조절을 위해 팩과 앰플 사용하기

손상된 두피에 영양 공급을 해줌으로써 모모세포를 활성화시켜 건강한 두피 및 건강한 모발을 만든다. 모유두에 대한 영양 공급으로 모근 강화, 모발 육성, 모발 성장 촉진, 탈모예방, 발모 촉진을 시킨다. 육모제나 앰플을 공급하여 모모세포의 세포분열을 촉진시켜 영양 공급을 준다.

5. 두피·모발관리에 필요한 기기와 기구를 선택하여 사용하기

1) 두피관리 기구

① 두피 마사지 및 샴푸 세정기

진동 마사지는 1회에 1,500회 좌우로 움직이면서 두피의 표면을 세정할 뿐만 아니라 두피의 진피층을 움직여 혈액순환을 촉진시켜 시원함을 느끼게 한다. 긴장 완화로 인하여 두피관리의 효과가 더 상승된다. 모공을 열리게 하여 모공 속 노폐물을 배출할 뿐만 아니라 발모 촉진제 및 기타 영양제가 모공에 흡수되는 것을 촉진해 준다.

〈두피 마사지 및 샴푸 세정기〉

② 헤어 스티머

수분 공급을 통하여 모근과 모간의 건조함을 방지해 주고, 두피와 모발에 부족한 수분 공급을 해주는 기기이다. 미립자의 수증기를 이용하여 두피와 모발에 깊숙이 오존을 침투시켜 미립자의 수분과 영양분을 공급함으로써 노화 각질 및 노폐물 등을 부드럽게 연화시키는 한편 모공을 열어 스케일링 용액이 제대로 작용할 수 있도록 하여 두피의 오래된 각질 및 이물질을 부드럽게 연화시켜 쉽게 제거할 수 있도

〈헤어 스티머〉

록 작용한다. 수증기는 표면 각질세포를 부드럽게 만들어서 마사지 브러싱을 하는 동안 각질 제거를 돕고 따뜻한 습기는 모공을 열어주어 적절하게 세정될 수 있도록 한다. 또한, 증기는 모낭 속으로 깊이 침투해서 유지 침전물, 먼지를 부드럽게 하여 불순물들이 쉽게 제거되도록 하며 모공에 있는 노폐물 제거를 도와주고 두피에 혈관을 확장시킴으로써 혈액순환을 도와 다음 단계의 효과를 촉진시키기도 한다. 헤어 스티머의 관리 시간은 유형에 따라 차등을 두어 관리하며 전체 관리 시간은 10분 전후로 한다.

- 민감성 두피 : 7~10분
- 건성 두피 : 10분
- 비듬성 두피 : 10~15분

③ 워터 펀치

높은 수압을 이용하여 모공 속 깊이 박혀 있는 이물질이나 각질을 제거해 주는 작용을 하는 기기로 진동을 통한 두피 마사지로 혈액순환을 촉진시키고 모공을 열어 주어 영양분의 모공 내 흡수율을 높여 준다. 1분당 1,800회의 파동을 주어 두피나 모공의 누적된 노폐물을 효과적으로 제거하여 두피를 청결하고 건강한 상태로 만들어 준다. 또한, 모공을 열어 주어 모근의 호흡작용을 돕고 영양 물

질이 흡수될 수 있도록 하며 각질과 오래된 노폐물을 제거하는 기기로서 두피를 스케일링하고 모공을 열어 모공의 호흡작용을 촉진하고 영양 성분 도포 시에 흡수가 잘 되도록 한다. 모발 길이, 두피 상태에 따라 수압을 조절하고 노즐의 선택할 수 있도록 한다.

〈워터 펀치〉

④ 적외선

적외선은 단파장과 장파장으로 나뉘며 7,000~10,000Å 정도의 파장은 피부 침투력은 떨어지나 피부 표면을 따뜻하게 하여 팩의 체내 흡수를 도와준다. 3만~10만Å의 장파장은 피부 침투 효과가 커서 비만관리, 두피관리 등을 시술할 때 사용한다. 즉 적외선은 가시광선보다 긴 파장의 광선으로 적외선의 온열작용을 이용하여 피부를 따뜻하게 함으로써 혈액순환을 상승시키고 노폐물, 독소 등을 배출하여 두피의 활성화를 도와주고 두피 내의 영양 침투를 돕고 혈액순환과 근육 이완에 효과가 있으며, 두피 내 노폐물의 배출에 효능이 있다. 이완을 촉진시키기 위한 일반적인 열관리와 긴장감을 풀어주기 위한 국부관리에 주로 사용한다.

적외선은 제품을 흡수시키기 위해 사용되도록 다른 관리기기의 효과를 증가시키기 위해 두피에서 30~40cm 정도 거리를 유지하고 강도 조절 스위치를 사용하여 강도를 맞추고 관리한다.

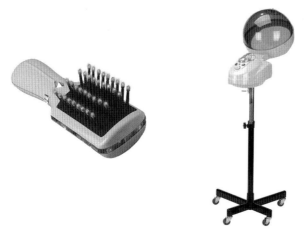

〈적외선기〉

⑤ 고주파기

고주파 교류전류를 사용하는 인체의 기혈 순환 통로를 자극하여 신체 내부의
면역 체계를 증강시키는 역할을 한다. 고주파에 의해서 신체에 적용될 경우, 정
도의 차이는 있지만 열이 발생한다. 고주파에 의해서 신체에 적용될 경우 정도
의 차이는 있지만 열이 발생한다. 열의 발생은 주로 전류의 흐름에 대항하는 분
자들의 저항에 의해 나타난다. 전자들 간의 충돌에 의해 에너지의 교환과 흡수
가 일어나고, 이 중 일부가 열의 형태로 발출되는 것이다. 고주파는 사륜 및 소
독을 통해 문제성 두피를 예방하여 두피 조직의 영양 흡수와 진정 효과를 촉진
시켜준다.

전극봉의 유리 튜브 내의 공기와 가스가 이온화되어 전류가 튜브를 통하여 근
육으로 흩어져 흐르게 된다. 표피 밑 깊숙이 있는 세포를 자극하여 심부열이 발
생하는데 이 심부열이 인체의 신진대사를 촉진하고 세포를 활성화하여 지방세
포를 분해하는 것이다. 또한 두피의 각질 비듬 제거 및 살균·진정작용으로 제
품의 흡수를 도와준다. 각질관리 시는 두피 건조를 막기 위해 관리 시간을 10분
이 넘지 않도록 한다.

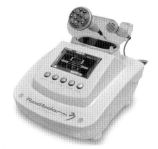
〈고주파기〉

⑥ 제트필(레이저 필링)

제트필이란 제트 엔진의 추진 원리를 이용하여 물과 산소가 세 구멍의 노즐을 통하여 매우 빠른 속도로 분사되면서 피부를 물로 깎아내며 동시에 산소를 주입시키는 치료이다. 제트필은 피부와 두피의 미용적 재생을 위해 멸균 식염수와 산소를 고압분사 장치를 통해 아주 미세한 초입자 물방울로 분사해 두피 등에 피지나 각질 등의 노폐물을 제거하며 탈모에 도움이 되는 용액을 분사하여 노화 두피 개선 및 예방 효과가 있는 기기이다. 산소는 미백 효과와 피부의 신진대사를 활성화한다.

〈제트필〉

⑦ 수동 샴푸 브러시

수동 샴푸 브러시는 샴푸 시 가볍게 빗거나 두드려 주면 모근 활성화로 인해 탈모 예방과 발모 촉진, 지압 마사지 효과가 있다. 또한, 모발을 가지런히 빗고자 할 때도 사용되며 대부분 두피에 이온적 자극을 주어 혈행을 원활하게 하기 위하여 사용한다.

〈수동 샴푸 브러셔〉

⑧ 종합 관리기

　　스케일링, 이온토프레시스, 에어브러시 등
이 장착된 두피, 피부, 탈모관리 전문 종합
기기로 초음파기는 진동 주파수가 20KHz(1
초에 2만 파동 이상) 이상으로 매우 높아 인
간의 감각으로는 감지가 어려워 들을 수 없
는 진동 음파이다. 초음파를 두피에 활용하
는 이유는 인체에 투여되었을 때 초음파의
진동은 분자 간의 마찰에 의해 열을 발생시
키고 열은 피부 온도를 1도 정도 올려줌으
로써 혈액순환과 신진대사 기능을 촉진시
키기 때문이다. 이런 초음파에 의한 에너지

〈종합 관리기〉

변환이 영양 침투를 용이하게 하는 긍정적 효과가 있어 두피 재생관리에 활용
된다. 초음파는 10분 이상 사용되면 도자가 과열될 수 있으므로 5~10분 사이로
시술해야 한다.

이온토프레시스의 (-)이온은 두피 활성화, 앰플 침투력 향상 등의 효과를 가지
며 (+)이온은 두피 진정작용과 독소를 제거하는 효과가 있다. 고객에 따라 민감
하게 반응하는 경우가 있으므로 적절하게 강도를 조절한다. 핸들을 사용하여
두피에 문지르듯 마사지한다. 앰플이나 토닉을 두피에 도포한 상태에서 시술하

게 되면 영양 성분의 침투를 높여 주어 앰플이나 토닉의 효과를 극대화할 수 있다. 이온 토프레시스는 5분 이상 사용하도록 하고 비듬이 많은 두피는 (-)이온, 민감성 두피는 (+)이온, 일반적 두피는 (-)이온 3분, (+)이온 3분으로 시술한다.

⑨ 이온기

갈바닉 이온은 안전한 미세 전류를 말하며 (-)의 경우, (+)를 향해 움직이거나 (-)를 밀어낸다. 이러한 원리를 이용하여 미세 전류의 반발력으로 유효 성분을 피부 속까지 골고루 흡수되도록 해준다. 즉 음이온의 잡아당기는 성질을 이용하여 모공의 피지, 노폐물 각질 및 비듬을 제거해 주는 효과가 있다. 또한, 음이온과 양이온을 동시에 사용하여 두피 운동을 촉진하여 표피층과 진피층까지 전달되어 기저세포의 재생을 촉진하고 가려움증이나 염증에 살균작용을 하며 제품의 흡수를 도와준다.

〈이온기〉

※ 수행 평가(체크리스트)

	항목	자가 진단		
		우수	보통	미흡
1	두피 유형에 따라 샴푸제를 선정하여 시술할 수 있다.			
2	두피 유형에 따라 스케일링 제품을 선정하여 시술할 수 있다.			
3	두피 스케일링 효과를 높이고 두피의 혈액순환을 돕기 위해 두피 매뉴얼 테크닉을 할 수 있다.			
4	영양 공급과 유·수분 균형 조절을 위해 팩과 앰플을 사용할 수 있다.			
5	두피관리에 필요한 기기와 기구를 선택하여 사용할 수 있다.			

SCALP CARE & TRICHOLOGY **3**
PART

모발관리 하기

※ 모발관리 하기

학습	수준	학습 내용		이수 시간
1201010112_14v2.3 모발관리 하기	4	3.1	모발 상태와 관리 방법에 따라 샴푸제를 선정하여 시술할 수 있다.	12
		3.2	모발 상태와 관리 방법에 따라 관리 제품을 도포한 후 핸드링할 수 있다.	
		3.3	영양 공급과 유·수분 균형 조절을 위해 팩과 앰플을 사용할 수 있다.	
		3.4	모발관리에 필요한 기기와 기구를 선택하여 사용할 수 있다.	

http://www.ncs.go.kr

※ 학습 모듈 개요

모발 유형에 따른 샴푸제를 선정하여 시술할 수 있다. 모발관리 시 관리 제품을 선정하고 핸드링을 학습하여 모발관리 하며 모발관리에 필요한 기기를 선택하여 사용할 수 있다.

※ 학습 목표

① 모발 상태와 관리 방법에 따라 샴푸제를 선정하여 시술할 수 있다.
② 모발 상태와 관리 방법에 따라 관리 제품을 도포한 후 핸드링 할 수 있다.
③ 영양 공급과 유·수분 균형 조절을 위해 팩과 앰플을 사용할 수 있다.
④ 모발관리에 필요한 기기와 기구를 선택하여 사용할 수 있다.

※ 주요 용어

모발 유형, 모발관리 기기

1. 모발 상태와 관리 방법

모발은 피부가 진화하여 생긴 것으로 우리 피부의 여러 가지 보호기관 중 하나이며, 인간 신체의 각 부위에 난 털 중에서 두부에 난 털을 의미한다.

모발은 털이 난 부위에 따라 두발(頭髮), 수염, 액모(腋毛), 음모(陰毛), 미모(眉毛), 비모(鼻毛), 이모(耳毛), 체모(體毛)로 구별한다.

1) 모발의 어원

면양의 경우처럼 동물 털의 형상은 울(wool), 헤어(hair), 켐프(kemp) 등으로 나눌 수 있다.

울(wool)은 양모(면양에서 채취된 섬유)만을 뜻하는 것이 아니라 모든 동물의 털을 의미한다. 양모만 하더라도 종류가 많아 엄밀히 분류하기가 어렵지만 미국의 A.S.T.M(American Society for Testing Material)의 규정에 의하면 가늘고 부드러운 털, 즉 30μm보다 가는 것을 울이라 하며, 양모 이외의 섬유를 수모(獸毛, hair)라 한다.

헤어(hair)는 섬유에서 30μm보다 굵으면 수모라고 규정하며, 양모 이외의 섬유, 즉 동물의 털 중에서도 뻣뻣하고 자극을 줄 수 있는 굵은 털(刺毛, 자모)을 말한다.

캠프(kemp) 헤어는 흔히 개, 고양이에게서도 볼 수 있는 짧으면서도 희끗희끗한 털을 말하며 중간에 자라다가 정지하는 변질적인 털로써 시간이 지나면 대부분 빠져 버린다. 즉 헤어나 캠프는 모 수가 있는 섬유이다.

(1) 모발의 기능

① 인체 보호작용

- 인체 보호 기능
  피부는 외부 유해 환경으로부터 신체 내부 장기를 보호하는 역할을 하게 된다.

② 분비작용

- 노폐물 배출의 기능, 중금속 분비 기능

  표피 지질과 피지막이 분비되어 피부 표면으로 분비됨으로써 세균으로부터 피부를 보호하며, 피부의 건조 작용을 예방하는 역할을 하게 된다.

- 각화작용

  정상적인 표피에서 일어나는 과정으로 표피의 구성 성분이 각질 형성 세포가 일정 주기로 각질층을 형성하면서 교체되는 과정을 의미한다.

③ 표시작용

- 성별 구별의 기능
- 미적 장식 기능

④ 교환작용

- 흡수작용

  피부 표면의 묻은 물질이 피부 내부로 흡수되는 과정을 의미한다. 이러한 과정은 주로 피부에 분포하는 모공으로 통해 이루어지며, 일부는 표피를 통해 직접 흡수되기도 한다.

- 호흡작용

  피부를 통해 신체 내·외부의 공기의 교환이 일어나게 된다. 그러나 그 양은 폐호흡의 1% 미만이다.

⑤ 체온 조절 작용

- 입모근

⑥ 감각작용

- 모유두 속 신경

2) 털의 개념

모발의 종류는 굵기에 따라 솜털, 연모, 경모로 나뉜다.

(1) 솜털

일명 배냇머리라 불리는 솜털로 태내(胎內)에서 생긴 모발 중 가장 가늘고 연한 것으로서 모태에 있을 때에는 4~5개월까지 거의 전신에 발모가 된다. 태모로서는 맨 먼저 안면에서 털이 나오는 것을 관찰할 수 있다. 이 단계의 털을 연모라고 한다.

(2) 연모

사람은 이 연모의 상태로 탄생한다. 연모는 모수질이 없고 부드러우며, 멜라닌 색소가 적은 갈색의 색상을 띠고 있다. 잡아당겼을 때 2cm 정도까지 늘어나므로 이를 속어로 배냇머리라고 부르고 있다.

(3) 경모

생후 5~6개월쯤 연모는 경모로 바뀌며 성인들의 모발은 경모라고 할 수 있다.

모발이 자라고 있는 모낭의 수는 태어날 때 모두 결정되므로 성인이 되어서도 모낭은 증가되지 않는다. 그러므로 성인보다 유아 쪽 모발의 양이 적게 보이는 것은 모발이 가늘 뿐만 아니라 모낭에서 아직 생성되지 않은 털도 있기 때문이다. 결국, 성인보다 모발량이 적고 사춘기가 되면 모든 모낭에서는 경모가 성장하여 사람의 일생에서 가장 모발이 많은 시기에 들어간다. 그러나 이 경모도 모주기를 되풀이하여 나이가 점점 들어감에 따라 연모로 되돌아가는 현상이 보이고 있다. 특히 남성에게는 이 현상이 현저하여 일반적으로 남성형 탈모증으로 알려져 있다.

3) 모발의 기원과 발생

(1) 모발의 기원

인간은 수정란이라는 한 개의 세포로부터 시작되는데, 이것은 세포 분열을 거쳐

10~11일째부터는 배엽을 형성한다. 이때 배벽의 함입으로 생긴 안쪽의 벽을 내배엽이라 하며, 여기에서는 소화기 계통의 내장이 형성되고, 바깥쪽의 벽을 외배엽이라 하며, 뇌, 신경계통, 피부, 모발이 형성된다. 그리고 이들 사이로 퍼져 가는 세포들이 중배엽을 형성하는데 여기서는 심장, 혈관, 골격, 근육 등이 형성된다. 즉 모발은 인간의 외배엽에서 기원되는 것이다.

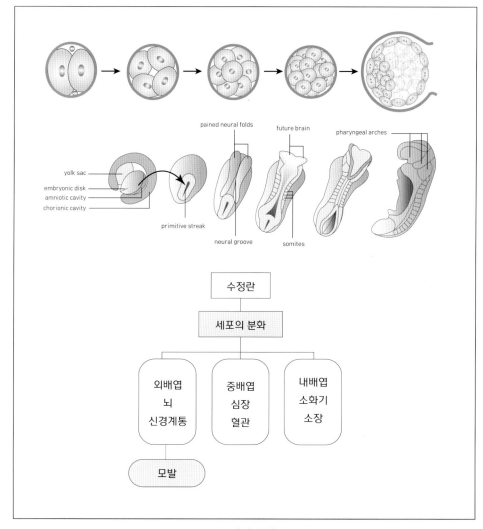

〈모발의 기원〉

구분	발 생 기 관
외배엽	뇌, 신경계통, 모발
중배엽	심장, 소장, 골격, 근육, 신장, 생식선, 혈관
내배엽	소화기계통의 내장

(2) 모발의 발생

모발은 모낭에서 형성되어 성장해 가는데, 이 모낭은 피부의 표피에서 유래된 것으로 표피는 태생 3주에 단층의 미분화된 연속적인 세포로 되며 차차 각질형성 세포의 특징을 지니게 된다.

표피 부속기관으로 특히 모발 및 에크린 한선 단위는 태생 3개월에 표피의 하향 발육으로 발전하기 시작한다. 그 후에 아포크린 한선 단위는 모낭 상피의 상부로부터 생기고 피지선 및 도관은 모낭의 중간 부위로부터 생긴다. 표피 부속기도 3개 피부층의 두께가 부위별로 다른 것과 같이 부위별 차이가 있으며 유전적으로 조정된다.

사람의 모낭은 표피의 배아층의 세포가 모여 촘촘한 집합체를 만든 모아의 세포군이 분열을 일으켜 성장하는 것이다. 즉 모아 형성의 전단계인 전모아기 → 모아기 → 모항기 → 모구성 모항기를 거쳐 모낭이 형성된다. 이 모낭이 성숙한 형태로 발달하면 피지선이 형성되며, 그 후 모낭벽에 붙어 있는 입모근이 생성된다.

마지막으로 모낭의 밑에 연결되어 있는 모유두가 형성된다. 이 모유두와 접하고 있는 부분의 모모세포가 모유두의 영양을 공급받아 세포 분열을 하여 새로운 모발을 생성한다. 따라서 모발의 발생은 모모세포가 모유두에서 영양을 받아 분열되어 모발의 형상을 갖추면서 성장해 가는 것이라 할 수 있다.

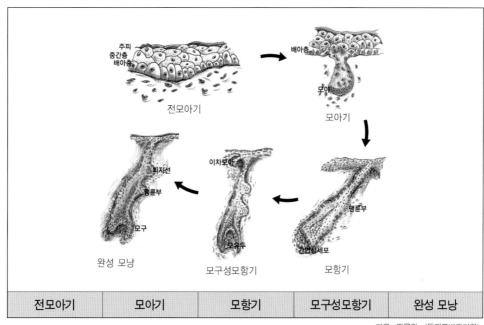

전모아기	모아기	모항기	모구성모항기	완성 모낭

<자료 : 광문각, 《두피모발관리학》>

〈모낭의 형성 과정〉

4) 모발의 손상

(1) 모발의 화학적 손상

화학적인 손상은 퍼머넌트 웨이브제나 염색약에 의해 모발 성분의 화학 변화를 일으켜 질적 손상이 생기는 것이다. 물리적 손상을 받으면 화학적 손상을 받기가 쉽고, 화학적 손상을 받으면 물리적 자극에 약하게 된다. 모발의 굵기와 모빌은 개인의 영양 상태, 유전 인자 등의 영향, 외부의 자극 등에 의해 변화한다.

① 탈색과 염색에 의한 손상

탈색과 염색에 사용되는 과산화수소는 산화력이 강하며, 사용 시에 암모니아를 첨가하여 효과를 강하게 하여 사용한다. 이 과정에서 과산화수소는 멜라닌 색소만 파괴하는 게 아니라, 케라틴의 주사슬인 폴리펩티드 사슬도 절단시킨다.

이렇게 산화 절단된 모발은 환원 절단과는 달리 원래의 결합으로 돌아오지 않는다. 또한, 퍼머넌트 웨이브 시술 시 20%의 시스틴 결합이 절단되지만, 염색 시에는 약 40%의 시스틴 결합이 절단되어 재결합을 하지 못하게 된다. 그러므로 탈색은 알칼리제의 팽윤, 연화와 과산화수소에 의한 산화 탈색으로 이러한 상태가 반복되면서 큐티클과 모피질의 멜라닌 색소 파괴로 손상의 원인이 된다. 따라서 탈색 후에는 반드시 산성 린스(pH 2-3)로 처리하는 것이 모발 손상을 줄일 수 있다.

② 퍼머넌트 웨이브에 의한 손상

퍼머넌트 웨이브 약제의 프로세싱이 끝난 다음 pH 밸런스 제품을 사용한 수산화제를 도포하는 것이 모발 손상을 최소화하는 방법이다. 또한, 로드 제거 후의 처리가 적당하지 못하면 케라틴 단백질의 변성이나 멜라닌 색소의 변성을 일으키기도 한다. 그러므로 사후 처리로 모발을 충분한 약산성으로 회복시켜 주어야 모발에 대한 손상도를 줄일 수 있다. 따라서 항상 모발의 등전점을 유지시킬 필요가 있다.

(2) 모발의 물리적 손상

물리적인 손상은 기계적인 자극, 즉 마찰과 커트 불량 등으로 인한 것이며, 형태적인 변화를 가져올 수 있다.

① 열에 의한 손상 : 모발의 주성분인 케라틴은 견고하고 강한 편이나 고온의 열에 의해서 건강 모가 손상될 수 있다. 이는 모발의 케라틴 단백질이 55~60℃ 전후로 해서 변성이 시작되기 때문이다.

모발은 피부에 비교하면 열에 대해서도 강한 저항력을 갖고 있지만 그 경계점이 120℃ 정도이고, 모발의 120℃의 건조기에 넣어서 약 3시간 정도 경과하면 극도로 건조해진다. 미용 시술에 있어서도 열을 이용하여 작업하는 경우가 많으나 특별한 시술을 빼고는 120℃로 억제하는 것이 바람직하다.

② 마찰에 의한 손상

샴푸, 타월, 드라이, 브러시 등으로 인하여 자극을 받고 큐티클의 일부가 벗겨지게 된다. 특히 브러싱에 의한 모발 손상은 딱딱한 브러시와 모발 표면의 기계적인 마찰에 의한 것이기 때문에 힘을 강하게 할수록 손상이 심해진다. 즉 모발 다발에서 브러시가 빠지려는 순간 끊어지면서 자모가 발생한다. 모발은 또한 유리단(遊離端)의 방향대로 손질하여야 한다.

③ 커트 불량에 의한 손상

레이저(razor)나 날이 무딘 가위로 커트하거나 커트 시술의 잘못으로 인해 모피질의 수분과 영양 성분이 유출되어 약액 침투가 빠르고 결절 모나 모발이 갈라지게 된다. 레이저 시술 시 각도가 90°에 가까울수록 모발 표면을 많이 손상시키므로 가는 모발이나 손상 모는 되도록 사용을 적게 하거나 방법을 올바르게 인지한 후 사용하는 것이 바람직하다. 커팅 시 적당한 수분은 모발의 손상을 줄이는 방법이기도 하다.

(3) 모발의 자연적 손상

태양광선 중 모발에 영향을 주는 것은 적외선과 자외선이다. 이 중 파장이 짧은 자외선이 가장 심한데, 한 여름에 해수욕장과 야외에서 오랫동안 자외선을 받으면 모발 손상의 원인이 된다.

자외선은 살균 효과도 있지만 단백질의 변형과 케라틴의 시스틴 결합을 파괴시키고 세포를 파괴시킨다. 양모의 경우도 항상 햇볕을 쐬고 있는 끝부분에 시스틴 함량이 적으며, 이로 인하여 시스틴 결합이 파괴되면 강도와 신도가 저하된다.

(4) 그 밖의 외적 요인

무리한 다이어트, 스트레스 등도 모발 손상의 원인이 되는데, 이로 인해 모유두에 이상이 올 경우 모발의 성장 발육에 영향을 주며 탈모의 수도 증가한다. 또한, 염분은 모발 단백질을 응고시키므로 해수욕 등으로 염분을 흡수한 뒤에는 충분히 따뜻한 물로 헹구어야 한다. 칼슘염이 남아 있으면 광택도 없어지고 퍼머넌트 웨이브가 잘 안 되는 원인이 된다.

5) 모발 손상 진단 방법

(1) 감상적 진단

감상적인 진단 방법에는 고객과 대화를 통해서 묻고 답하는 문진법과 외관상 눈으로 판단하는 시진법, 손가락으로 만져서 느끼는 촉진법 등이 있다. 이러한 방법은 주관적이기 때문에 보다 정확하고 객관적인 방법이 필요할 경우에는 각종 기기를 사용하는 것이 좋다.

(2) 마찰 저항 진단

모표피의 손상이 크면 마찰 저항은 커지고 손에 닿는 감촉이나 빗질이 불편하게 된다.

(3) 인장 강도 진단

모발을 다른 말로 모발섬유라고도 표현한다. 모발의 피질에는 거대섬유(macro fibril)와 같은 많은 아섬유(subfiber)들로 구성되어 있는데, 이것이 모발의 물리적 특성을 결정한다. 모발의 강도는 대단히 세다. 한 가닥의 모발은 똑같은 굵기의 알루미늄 가닥보다 더 강하다. 건강한 사람의 모발 10만 가닥은 12톤 트럭을 움직일 수 있다. 번지점프를 할 때 지탱하는 고무줄처럼 거대한 고무줄이 모발의 아섬유, 즉 거대 원 섬유의 화학적 구조와 모발의 이황산 결합은 전선과 같은 강한 인장강도(tensile strength)를 가지고 있다. 일반적으로 굵은 모발은 가는 모발보다 인장강도가 높게 나타난다. 또한, 곱슬 모발의 경우 모발 줄기가 꼬임을 가지는데 그 꼬인 부분의 모발 직경은 감소하기 때문에 그 위치에서 끊어지기 쉽다. 그러므로 사람들마다 모발의 꼬임과 구부러진 형태의 정도, 모발 굵기의 정도와 모발 손상의 정도에 따라서 확연한 차이가 있다. 모발의 인장강도는 모발의 양쪽 끝에서 모발이 절단될 때까지 당기는 힘을 의미하기 때문에 그 값이 클수록 건강한 모발이다.

(4) 팽윤도 측정

팽윤도 측정에 있어서 한 가닥의 모발로는 정확한 값을 얻지 못하므로 몇 가닥을 가지고 실험한 다음 평균값을 얻어야 한다. 보통의 모발은 그 중량의 25~30%의 수분을 흡수하여 포화 상태가 되는데 만약 모발이 손상되었을 경우에는 이 포화량이 증가한다. 일정한 온도와 습도를 유지하고 모발을 일정 시간 수분에 침전시킨 다음 원심분리시켜 수분을 제거하고 모발 내부에 흡수된 수분의 중량을 측정함으로써 손상도를 확인할 수 있다.

(5) 알칼리 용해도

건강한 모발은 0.4% 수산화나트륨 용액에 약 30분 동안 담가 놓은 다음 따뜻한 물로 씻어 버리고 무게를 측정하면 처음 무게의 약 3% 정도 용해되어 중량이 감소된다. 만약 손상 모발일 경우 알칼리에 대한 저항력이 없어져서 용해되는 정도가 증가하고 중량도 감소한 결과를 나타낼 것이다.

(6) 아미노산의 조성 변화 측정

모발을 가수분해하여 아미노산 조성의 변화를 분석하면 손상 모일 경우 특히 시스틴의 함유량이 감소하고 시스테인산이 증가하게 된다.

6) 모발의 구조적 이상

(1) 연주모

유전되는 선천성 질환으로 두피 모발에 다발성 결절들이 형성되고 결절들의 사이는 위축되어 마치 진주목걸이 또는 염주 모양의 모발이 형성된다. 결절 부위에서 모발이 쉽게 부서진다. 주로 유아 및 소아기에 뚜렷하게 나타나고, 여름철과 임신 시에

〈연주모〉

호전되는 경향이 있으며 사춘기에 자연적으로 소실되는 경향이 있다. 하지만 평생 지속될 수도 있다.

(2) 결절성 열모증

모간에 불규칙한 간격으로 배열된 작은 백색의 결절(뭉쳐서 돌기 같은 것)들이 발생되며, 결절들은 모피질이 부러져 많은 가닥으로 갈라져 마치 두 개의 빗자루를 양 끝으로 붙여 놓은 것 같은 모양을 하고 있다. 이 질환은 주로 두발에서 발생하나 음모 및 겨드랑이의 모발에서도 발생할 수 있다. 선천성인 경우에는 전신에서 나타나고, 후천성인 경우에는 자학 증세가 있는 정신질환이나 가려움증이 심한 피부질환에서 긁거나 문지르는 물리적인 원인에 의해 발생한다. 드물게 화학물질에 의한 손상에 의해 또는 대사질환에서도 발생된다. 빈모증과 탈모증이 동반되기도 한다. 치료로는 모발의 외상을 피하는 방법이 최선이다.

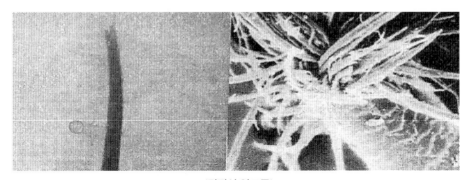

〈결절성 열모증〉

(3) 함입성 열모증

대나무 모양의 털(bamboo hair)이라고 알려져 있으며 각화를 시작하는 모낭의 부위에서 원위부의 털이 근위부의 털로 말려 들어가 결절이 형성되는 질환이다. 모피질 내에서의 황화수소기(-SH)가 황결합(S-S)으로 치환되는 것이 결핍되어 모피질이 연약해지고 이렇게 연약해진 모피질이 손상되어 말려 들어가게 된

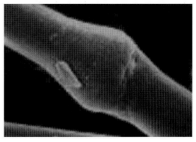

〈함입성 열모증〉

다. 유전적으로 상염색체성 열성으로 여아나 소아기의 여자들이 잘 발생한다. 사춘기나 성인기 초기에 자연 치유된다.

(4) 양털 모양의 모발

흑인에서 가장 흔히 볼 수 있는 질환으로 유전성인 경우와 모발이 일부에 국한되어 나타나는 양모(wooly hair nevus)이다. 가늘고 밀집된 곱슬머리가 출생 시부터 나타나고 아동기에 가장 심해져서 모발이 12cm 이상 자라지 않지만 어른이 되면 어느 정도 호전된다. 이러한 모발은 한 타래로 뭉쳐져 있어 빗질이 힘들 경우가 있다. 염전모나 결절성 열모증과 동반되기도 하나 다른 피부질환이나 전신질환이 동반되지는 않는다.

(5) 백륜모

이 질환은 드문 선천성 질환으로 모발 내에 고리 모양이 나타나는데, 이것은 모피질 내에 비정상적으로 공기가 함유되어 빛의 반사 차이에 의해 흑색과 백색의 띠가 교대로 나타나기 때문이다. 모발이 성장은 정상이며, 피부나 다른 기관의 질환과는 관련이 없다. 원인은 불확실하나 가족적으로 발생하는 것으로 보아 유

〈백륜모〉

전적으로 생각한다. 주로 옅은 색깔의 모발을 지닌 사람에서 나타난다. 특별한 치료법은 없으며 계속 유지되는 것으로 알려져 있다.

(6) 균열모

모근의 원위부의 끝이 세로로 모간을 따라 길이로 갈라지는 것을 말한다. 주로 과도한 모발의 손질, 과도한 스타일링, 가려움증에 의한 반복되는 자극 등과 같은 모발에 가해지는 외부적인 손상에 의해 발생한다.

(7) 염전모

염전모는 선천적인 경우뿐만 아니라 후천적으로도 발생할 수 있다. 모발은 장축에 따라 나사 모양으로 꼬이며, 편평하게 된다. 색이 옅은 부위와 진한 부분으로 나타나기 때문에 반짝반짝 빛나는 양상을 볼 수 있으며 육안적으로 부분적인 탈모 현상이 나타나며 모발은 짧고 쉽게 부서진다. 소아기의 두피나, 눈썹, 속눈썹에서 발생되며, 사춘기에 호전된다.

7) 다모증 및 조모증

다모증은 안드로겐 호르몬에 의해 영향을 받는 안면이나 가슴, 엉덩이 대퇴부, 성기 등의 부위에 모발이 증가되는 증상이다. 안드로겐 호르몬의 활성이 원인이 되며 부신이나 난소의 이상이 있을 때 나타나기도 한다. 가족이나 인종에 따라서 다양하며 내분비 호르몬, 유전적인 요인, 약품 복용 등에 따라서 나타난다. 기타 다른 증상으로는 남성화, 생리의 변화, 고혈압의 증상을 동반하기도 한다.

다모증에 대한 치료 방법으로는 면도나 과산화수소 등을 이용하여 제거하거나 항안드로겐 약제를 섭취하도록 한다.

조모증은 안드로겐의 영향을 받는 부위뿐만 아니라 받지 않는 부위에도 모발이 증가되는 증상이다. 태아의 솜털이 성모로 바뀌지 않고 자라는 경우 섬세하고 부드러운 모발이 손, 발바닥을 제외한 전신에 분포하게 된다.

8) 모발 색조 이상

모발의 색조 이상은 백모이다. 우리의 피부색을 결정하는 요인은 멜라닌 색소와 헤모글로빈이다. 헤모글로빈은 척추동물의 적혈구 속에 들어 있는 단백질로 산소를 운반하는 기능을 가지고 있다. 백모의 화학적 조성으로는 도파퀴논에서 그 작용이 멈추며 티로시나아제(Tyrosinase) 효소의 이상 현상, 멜라노사이트에서 멜라닌 생성의 정지 등으로 산화작용이 이루어지지 않은 상태이며, 노화 현상이라고 볼 수 있다. 그리고 백모의 경우 강도와 질은 다른 모발과 차이가 없다. 모발색을 피부색과 마찬가지로 멜라닌 세포 생성의 결과로 멜라닌 세포 내부에 존재하는 특수화된 색소 형성 세포인 티로시나아제, 티로시나아제와 연관된 단백질인 TRP 1, TRP 2가 함께 작용해서 페오멜라닌과 유멜라닌의 색이 두드러지게 된다. 이 두 가지 색소의 비율에 따라서 가장 어두운색에서 가장 밝은색까지 모든 색의 스펙트럼이 나타나게 되는데 모발은 시간이 경과함에 따라서 점점 하얗게 변하지만 피부의 경우는 그대로 유지된다. 이것은 TRP 2가 지금까지 알고 있었던 것과는 달리 인체 내에서 이루어지는 갈색, 검은색 멜라닌의 합성에 있어서 반드시 필요한 요소는 아니라는 것이다. 멜라닌 세포의 점진적 감소는 TRP 2를 포함하지 않는 경우에 한에서만 영향을 미치며, 피부에 원래 포함되어 있는 색소 세포 관련 단백질은 멜라닌 세포의 생존에 관여하는 것으로 본다. 다시 말해, 피부는 감지가 되지만 모낭에서는 발견되지 않으며 모낭에서는 선별적으로 비활성화 상태에 있다는 것이다. 모발에서의 피질과 수질 속에 멜라닌 색소가 많으면 모발이 검은 쪽에 가깝고 전혀 없으면 백모가 된다. 그 밖의 원인으로는 스트레스, 유전 심한 다이어트, 내분비 이상, 질병, 과로 등의 원인이 있다.

이 중에 스트레스는 멜라닌 색소를 형성하는 아미노산의 산화 활동을 방해하며 티로신의 산화작용이 멜라닌 색소의 형성에 영향을 끼치므로 스트레스는 멜라닌 색소를 형성하는데 많은 영향을 준다. 평균적으로 발생 연령은 남녀 모두 40대 중반으로부터 시작된다고 볼 수 있다. 대체적으로 유전적인 영향에 의해 백모화되는 경우가 많다. 백모를 예방하는 음식으로는 미역이나 검정콩이 효과적이다.

9) 모낭염

모공 주위에 세균이나 바이러스 등에 의한 감염이 원인이며 특히 염증이 심하여 모낭까지 퍼지게 되는 경우를 모창(sysosis)이라고 한다.

수염이나 겨드랑이, 팔다리 털을 면도할 때나 뽑을 때 주로 감염된다.

고온 다습한 기후 조건, 부신피질 호르몬제 국소 도포, 당뇨 치료제 등의 약제 투여가 원인이 되기도 하며 구진, 농포, 홍반 등을 동반한다. 발생 부위는 안면, 수염, 목, 후두부, 다리, 겨드랑이, 두피 등 다양하며 두피의 경우 피부 사상균에 의해 발생하고 탈모를 유발하게 된다. 감염을 일으킬 수 있는 원인을 제거하고 항생제나 소독용 비누로 잘 씻는 방법으로 예방한다.

10) 샴푸의 종류

① 형태상 분류

- 액상 타입 : 액체형으로 샴푸의 대부분을 차지한다. 비누 성분을 주성분으로 하는 것으로 모발의 세정을 목적으로 하며 컨디셔닝 성분은 없는 경우가 많다. 비누 성분으로 세제인 에탄올아민을 많이 사용한다.
- 크림 타입과 젤 타입 : 글리세린, 라놀린, 지방산의 성분 비율을 조정해서 진한 유백색의 크림 타입과 젤로 만든다. 진하고 걸쭉하게 점증도를 높이기 위해 천연 검이나 셀룰로오즈를 사용한다.

② 목적별 분류

- 지성 모발용 샴푸 : 피지 분비 조절이나 지성 두피 완화용 샴푸이고, 과도한 피지분비를 조절하고 두피의 지성화를 완화하며 소염작용을 한다.
- 건성 모발용 샴푸 : 수분과 영양 공급을 해주는 샴푸이며 건조하고 푸석한 모발에 영양을 공급하고 노화 방지를 한다.
- 비듬 방지용 샴푸 : 모표피의 각질 제거나 세균 증식 억제, 피부질환 등에 효과가 있으며, 노화된 각질과 비듬을 제거하고 항균, 항염 효과가 있다.

■ 비듬 샴푸에 함유되어 있는 징크피리치온의 역할에 대하여 알아보자.

머리에 하얀 가루를 없애는 비듬 샴푸에 이미 입증된 원료이다.
초미립자의 샴푸에 응용하는 징크피리치온은 효과적인 입증이 되었다.
이 성분을 포함한 여러 가지 형태의 약용 샴푸가 이미 나와 있으며, 초미립자의 파우더를 표면에 폴리머 형태로 처리함으로써 샴푸 제품으로 응용 시 침전 방지와 피부에 흡착을 도와 준다.
대체적으로 기능성 전용 샴푸를 사용하면 모발과 두피가 건조하다고 알려져 있지만, 한 단계 업그레이드된 징크피리치온의 원료가 더욱더 촉촉하고 부드러운 머릿결을 만들 수 있다.
수용성 타입의 약간의 점성이 있는 액체 형태로서 샴푸 첨가 시 전체 양의 2~5%까지 주의사항 숙성이 완전히 끝나지 않은 물비누 페이스트와 혼합될 경우 화학 반응이 일어날 수 있다.

- 탈모 방지 샴푸 : 탈모의 원인이 되는 혈액순환 장애와 피지의 과다 분비, 영양 부족의 문제점을 해결해 주는 기능을 하며 모발 성장 촉진한다.

- 염색 모발용 샴푸 : 염색한 모발은 자외선과 여러 가지 요소에 의해 산화되어 퇴색한다. 따라서 퇴색 방지, 모발 색상 유지, 모발 보호가 필수적이다.

- 손상 모발용 샴푸 : 영양 성분을 첨가하여 탄력성을 증진시키고 다공성 부분을 채워준다.

- 산성 밸런스용 샴푸 : pH 5~6 정도의 약산성 샴푸로 펌이나 염색으로 팽윤된 모발을 단단하게 수축하고 손상을 방지하며 저자극성이다.

- 컬러 샴푸 : 샴푸에 인공 색소를 함유시킨 것으로 샴푸로 인해 모발의 모표피가 열릴 때 모발 자체에는 아무런 영향을 주지 않고 일시적으로 색소를 흡착시키는 원리를 이용한 샴푸제이다.

- 샴푸·린스 겸용 샴푸 : 일반적으로 음이온성 계면활성제를 주 세정제로 하는

샴푸는 양이온성 계면활성제로 이루어진 린스와 배합할 경우 양이온과 음이온이 결합하여 석출 현상을 보이며, 음이온성 계면활성제의 세정 효과를 저하시켜 샴푸 후의 청량감을 떨어뜨리고 린스의 양이온 계면활성 효과도 샴푸 헹굼 시 다량 씻겨져 나가 컨디셔닝 효과도 떨어진다. 일반적으로 현대인들이 시간이 부족할 때 사용하는 퀵서비스용으로 사용되고 있는 현실이다.

2. 모발 상태와 관리 방법에 따라 관리 제품을 도포한 후 핸들링하기

모발의 구조는 두피 바깥에 나와서 우리 눈에 보이는 모간부(hair shaft, 피부 내면에 함몰되어 들어가 있는 부분)와 두피 안쪽에 있는 모근부(hair root)로 크게 대별된다. 모근은 모발 성장이 일어나는 부분으로 이를 둘러싸고 있는 여러 부속 기관들이 있다. 모발의 발생은 모낭이 만들어졌을 때부터 시작되며, 두피와 모낭의 주변을 그림으로 도식하여 나타내면 그림과 같다

모발의 구조는 크게 두 부분으로 나누어 생각해 볼 수 있다. 즉 하나는 피부 속에 박혀 있는 모근 부분과 다른 하나는 피부 밖으로 나와 있는 모간 부분이다.

모간부와 모근부의 구조와 기능, 그리고 그들의 일반적 구조 및 미세 구조에 대하여 좀 더 자세히 살펴보도록 하겠다.

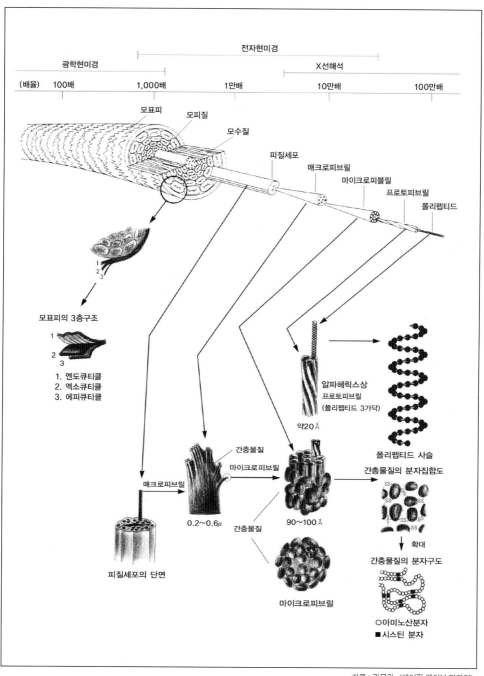

〈모발의 미세구조〉

자료 : 광문각, 《헤어펌 웨이브 디자인》

1) 모발관리

모발은 신체의 일부이므로 아름다운 모발을 간직하는 것은 전신의 건강과 미용에 통한다. 특히 완벽한 헤어스타일의 창출을 위해서는 건강한 모발과 두피관리가 매우 중요하다. 모발 클리닉(hair clinic)은 손상된 모발을 관리하기 위한 제품을 사용하여 모발 보호 효과를 높이는 모발관리와 두피 청결을 통한 모발 성장 지원의 두피관리(scalp care)로 구분된다.

모발관리의 근원은 두피관리로부터 시작된다. 즉 건강한 모발을 유지하고 탈모를 예방하기 위해서는 두피관리를 잘해야 한다. 두피에 염증, 비듬이 있거나 탈모 증세가 나타나기 시작하면 바른 대책이 강구되어야 한다. 가장 손쉬운 두피 건강은 올바른 샴푸법으로 머리카락과 두피를 깨끗하게 세정하는 것이 목적이다.

2) 관리 대상

모발은 알칼리성 제품에 지속적으로 노출시키게 되면 모발 내의 케라틴 성분이 소실되거나 결핍되어 손상을 더욱 가속화시키게 된다. 그러므로 화학적인 시술 전후에는 모발을 위한 관리가 반드시 필요하다.

두피에 잦은 화학적인 시술(퍼머넌트 웨이브, 염색)이나 화학 자극이 큰 헤어 제품을 과다하게 사용하면 두피의 이상, 탈모의 원인이 될 수 있다. 그에 적합한 시술(두피 마사지, 각종 의료기기 사용, 제품의 적용 등)을 통해 두피를 청결하게 하고 건강하게 만들어 문제를 개선하는 것을 말한다.

3. 영양 공급과 유·수분 균형 조절을 위한 팩과 앰플 사용

1) 모발의 영양 공급

우리가 음식물을 섭취할 때 조금만 신경 쓰면 건강한 모발을 유지할 수 있도록 도움이 되는 음식물들이 있다. 모발의 기본 성분은 아미노산이다.

아미노산을 포함한 단백질, 예를 들어 육류, 어류, 알, 대두나 유제품 등을 섭취하면 모발의 주성분인 유황을 포함한 단백질의 공급이 용이하며, 일상의 식사 중에서 이러한 동식물의 단백질을 균형 있게 취하는 것이 소중하다. 중년 이후에는 콜레스테롤을 증가시키기 위해 육류보다 어류 특히 등푸른생선, 콩류 등을 섭취하는 것이 좋다.

갑상선의 기능을 좋게 하는 요오드를 함유한 식품을 섭취하여 머리카락의 발육을 촉진한다. 요오드의 영양은 갑상선의 기능과 밀접한 관계가 있다. 요오드는 성장 발달을 촉진시키는 티록신이라는 갑상선 호르몬의 주성분으로 체내의 기초 신진 대사율을 조절한다. 예를 들어 다시마, 김, 미역 등이다. 해조류를 섭취할 때에는 해조류만 단독으로 섭취하는 것보다는 단백질과 조합한 요리로 섭취하면 육모 효과가 증가한다.

혈액순환에 도움을 주어 털이 빠지는 것을 막는 비타민 A, E, P를 섭취한다.

비타민 A는 호박, 토마토, 시금치 등의 녹황색 채소

비타민 E는 현미, 참깨, 너트류, 밀배아유 등

비타민 P는 레몬, 오렌지 등

비타민 종류	작용	결핍 증세	식품
비타민 B$_1$	탄수화물 대사 촉진, 신경 기능 유지	각기병, 과민성, 알러지 경향, 모발의 광택 상실	효모, 곡물의 배아 두류, 간
비타민 B$_2$	윤기 있는 피부 유지, 접촉성 피부염, 머리비듬, 탈모 마른버즘	구순 구각염, 습진	간, 우유, 효모, 녹색채소, 달걀
비타민 B$_{12}$	신경 유지, 대사 촉진 지루성 피부염	악성빈혈, 거친 피부	간, 내장기관, 우유
판토텐산	단백질 대사 피부, 모발, 손톱이 각질화에 중요한 작용, 피부 자극, 홍반 등을 방지	성장장애, 모발의 조기 퇴색, 피부 각질의 경화, 홍반, 염증 유발	동물성 식품, 두류, 곡류

두피의 신진대사를 좋게 하는 비타민 B가 함유된 제품으로는 현미, 쌀겨, 돼지의 살코기를 섭취함으로써 건강한 모발을 유지할 수 있다.

콜라겐이 함유된 음식으로 참마, 토란, 연근은 모발의 윤기와 탄력을 좋게 한다.

털의 성장에는 아연이나 철 같은 미네랄 종류도 필요하다. 아연은 당근, 우엉, 무, 해조류에 많이 들어 있으며 철분은 색이 짙고 떫은맛이 강한 채소에 많다.

모발 성장	우유, 육류, 어패류, 달걀 노른자, 생선 알, 간, 시금치, 효모, 토마토, 메주콩
모발 발육	달걀노른자, 우유, 시금치, 효모, 땅콩
비듬 방지	육류, 간, 난황, 보리, 현미, 땅콩, 효모
탈모 예방	동물의 간, 당근, 시금치, 구기자차
모발 윤택	요오드 식품 - 다시마, 미역, 해조류 미네랄 식품 - 우유, 대두, 치즈, 시금치

2) 영양학

(1) 영양소의 개념

영양소란 인체의 성장과 생명 유지에 필수적인 물질로서 에너지를 공급하고, 생체 반응을 조절하는 인자들을 공급하여 인간의 건강과 성장을 촉진하는 물질이다. 약 40여종의 영양소가 필요하며 영양학적으로 완전한 식사는 인체가 필요로 하는 40여 종의 영양소를 함유하고 있어야만 하며 일상생활에서 섭취하는 음식물의 성분 가운 데 에너지를 체내에서 발생시키는 활동의 원동력이 된다. 이밖에도 체내에서 일어나 는 각종 기능을 조절하고 정상적인 건강 유지에 필요한 성분으로 비타민과 무기질을 비롯하여 효소 및 호르몬 등이 있다. 영양소의 몸에서의 작용을 살펴보면 아래와 같 다. 식품의 구성 성분으로서 인체가 필요로 하는 다섯 가지 기초 영양소로는 탄수화 물, 단백질, 지방, 비타민, 무기질이 있다. 그 밖에 물도 에너지원으로는 쓰이지 않지 만 몸을 구성하거나 생리작용을 조절하는 역할을 하므로 부영양소라고 한다.

(2) 영양소의 개념

우리가 매일 섭취하고 있는 음식물의 성분은 인체로 흡수되어 세포나 조직의 원료 가 된다. 또한, 영양소가 분해되어 에너지로서 활동할 수 있는 힘을 얻어서 생존을 하 게 되는 것이다.

① 영양소 생성

영양소는 우리 몸의 에너지원으로서 에너지를 보급하여 신체의 체온 유지와 활동 에 관여한다. 필요한 영양소는 탄수화물(당질), 지질(지방), 단백질이 이용된다.

② 몸의 구성

영양소는 신체의 조직이나 골격을 구성하거나, 신체의 소모 물질을 보충하면서 체력 유지에 관여한다. 이 영양소는 단백질, 무기질, 지방, 탄수화물 등이 이용 된다.

③ 영양소의 구성 요소

영양소는 그 종류에 따라 인체에서의 기능이 다르다. 이들 영양소를 체내 작용에 의하여 분류하면 열량소, 구성소, 조절소로 나눌 수 있다.

- 영양소 : 생명 유지를 위한 에너지와 재료의 공급
- 구성소 : 근육 수축 운동에 필요한 에너지 공급
- 조절소 : 성장이나 유지에 필요한 체성분 합성을 위한 원료 공급

④ 영양소의 소화 흡수와 경로

- 입 : 음식의 소화가 처음으로 시작되는 곳으로 음식물이 입안에 머무르는 시간이 짧으므로 많은 소화작용은 일어나지 못한다.
- 식도 : 음식물 덩어리를 입으로부터 위까지 운반해 주는 통로 역할을 한다.
- 위 : 소화기관 중 산성을 띠고 있으며 여러 형태의 세포가 있어 소화에 중요한 다양한 분비물을 만들어 낸다.
- 소장 : 영양소의 소화와 흡수가 일어나는 주된 장소이며 영양소의 화학적 분해는 거의 모두 소장에서 일어난다.
- 대장 : 소화기관의 마지막 부분으로 대장에서 제일 중요한 기능은 물을 재흡수하고 신체로부터 필요 없게 된 물질들을 내보낼 준비를 하는 곳이다.

(3) 모발과 영양

모발과 두피의 건강을 위해서 인종, 성별 등의 유전적 요인과 대기오염, 수질오염 등의 환경적 문제 외에 영양관리가 중요하다. 단백질을 포함한 음식물은 위장에서 아미노산으로 분해되어 장벽에 흡수되며, 혈액에 의하여 운반되어진 영양분은 여러 기관으로 흡수된다. 모발의 경우 모유두의 모세혈관을 통해 모발이 성장하게 된다. 충분한 영양을 주기 위해서는 여러 종류의 아미노산이 포함된 단백질을 균형 있게 섭취하여야 하며, 모발을 위해서는 단백질뿐만 아니라 비타민과 미네랄도 필요하다. 비타민은 피부를 건강하게 해준다.

3) 모발과 식품과의 관계

인체에 존재하고 있는 모든 털은 혈관을 통하여 생성에 필요한 영양분을 공급받으며, 혈관의 영양분들은 음식물을 통하여 얻어진다. 그러나 혈액의 불안정한 혈액순환이 모두 탈모로 이어지는 것을 아니며, 탈모 현상을 가속화시킬 수 있다. 모발은 하루에 평균 0.2~0.3mm씩 자라나므로 모발관리를 매일 꾸준하게 하면서 모발의 성장을 돕는 식품을 충분히 섭취할 때 아름다운 모발을 가질 수 있다. 모발에 좋은 음식 역시 자연식의 균형 잡힌 음식이며, 인스턴트식품이나 기름진 음식 등은 두피와 모발의 성장에 저해 요인으로 작용한다. 즉 염분, 지방분, 당분을 제한하면서 우유, 달걀, 소간 등 고단백질 음식과 오이, 해조류처럼 비타민과 무기질을 많이 함유한 음식을 섭취하는 데 있어 섭취 방법 및 소화기관의 건강 상태 등이 우선시되어야 하며, 무엇보다도 균형 잡힌 식습관이 매우 중요하다. 또한, 적당한 물의 섭취는 인체 노폐물의 체외 배설과 함께 혈액과 조직액의 인체 순환을 도와 신진대사 기능을 촉진시켜 준다.

(1) 모발 성장에 좋은 음식

신진대사 기능 및 성장에 관련이 있는 갑상선 호르몬의 생성을 도와주는 주된 영양인 요오드 성분으로 인해 모발의 건조화 현상을 막고 윤기를 부여한다. 모발의 건강에 도움을 주는 음식에는 검은콩, 검정 찹쌀, 검은깨, 두부 등과 같은 식물성 단백질이며 녹황색 채소, 미역, 다시마, 김 등의 해조류가 있다.

(2) 모발 성장에 나쁜 음식

동물성 지방이 많은 기름진 음식의 섭취는 혈관 이상을 가져와 혈액순환 장애를 유발하며, 피지선의 비대 및 그에 따른 피지량의 증가로 인해 모공을 막아 균을 번식시키고 피지의 작용에 의한 지루성 탈모 및 지루성 피부염을 유발한다. 또한, 식품에 다량 함유되어 있는 각종 첨가 색소 및 첨가제, 그리고 불포화 지방산 등은 다양한 성인병의 유발 및 질병을 가져올 수 있는 원인으로 작용할 수 있다. 단 음식의 섭취는 인슐린 호르몬 분비를 높여 남성호르몬의 수치를 증가시키며, 혈중 포도당의 축적으로 인한 세포 내 영양분 공급을 저해한다. 짜고 매운 자극적인 음식은 두피 자극 및 소화기 계통으로 인하여 신진대사 기능의 둔화 등이 나타날 수 있으며, 그로 인하여 두피 문제점을 유발할 수 있다. 또한, 인스턴트식품의 섭취는 대부분이 영양분 균형을 잃은 어느 한쪽으로 치우친 편식 스타일의 영양분 섭취가 많다. 또한, 커피, 담배, 술 등은 신진대사 기능 이상과 함께 모발의 이상 현상을 가져온다.

■ 대표적인 민간요법을 몇 가지를 살펴보면 다음과 같다.

- 검은 참깨나 배추씨를 날것으로 짜서 기름을 내어 탈모 된 부위에 바른다.
- 삼잎과 뽕나무잎을 잘 섞어 참기름에 담근 후 3~4일 후 여기에서 나온 즙을 아침, 저녁으로 탈모 된 부위에 바른다.
- 머리를 감을 때 삼잎과 뽕나무잎 한 움큼씩 집어넣어 헹궈 준다.
- 뽕나무 가지 중 연한 것을 골라 잘게 썰어서 말린 뒤, 빻아서 둥근 환약을 만들어 하루에 세 번 50알씩 복용한다.
- 오이는 이뇨작용이 있으며 당근이나 시금치, 상추 등과 즙을 내어 매일 아침 1컵씩 마시면 탈모 예방 및 발모 촉진에 도움이 된다.
- 밤송이를 검게 태워서 가루로 만든 뒤 이것을 참기름에 개어 탈모 된 부위에 골고루 발라 준다.
- 검은깨를 짜서 말리면 9번 정도 반복한 후에 대추를 말려 빻은 가루와 함께 환약을 만들어 먹게 되면 흰머리가 검게 된다.
- 검은깨를 볶은 뒤 으깨어 알코올에 넣어 두었다가 바르게 되면 모발이 생성한다.
- 참깻잎을 달인 물에 머리를 감게 되면 머리카락의 성장이 촉진된다.

4) 탈모와 영양

현대 사회에서 모발은 장식적 의미의 기능이 많은 비중을 차지하고 있으며, 그로 인한 탈모의 고민을 안고 살아가는 현대인들이 증가하고 있는 추세이다. 그렇다면 '탈모는 왜 일어나는 것인가? 또 탈모의 예방 및 개선의 방법은 없는가?'에 대하여 살펴보고자 한다.

최근 우리나라에서 두피와 탈모의 문제로 고민하는 고객이 200만 명을 넘어서고, 탈모 시장 규모는 2003년 4,000억 원에서 2004년 8,000억 원으로 두 배 성장하였다.

(1) 자연 탈모

사람의 두발은 전부 약 10만~12만 본(가닥) 정도이다. 이러한 모발이 전부 그 교체시기가 같다면 어떤 종류의 짐승과 같이 한 번에 빠져 버리겠지만, 사람의 경우에는 모발 각각의 헤어 사이클이 달라서 한쪽에서는 빠지고 또 다른 한쪽에서는 생겨난다. 그래서 전체적으로는 비슷한 정도의 모발 수를 유지하고 있다. 이와 같이 자연적인 교대로 빠지는 모발을 생리적 자연 탈모라 한다. 남성의 경우 탈모는 관자놀이 부근에서 시작되어 정수리 쪽으로 이동하는 경우가 많고, 여성은 정수리 부위의 모발이 적어지는 경우가 많다.

① 남성형 탈모의 진행 양식

대머리는 이마가 넓어지는 것이다. 남성형 탈모의 일반적인 진행 패턴은 앞쪽 전두부에서 뒤쪽 후두부로 헤어라인이 후퇴하면서 정수리의 탈모와 연합하는 양식을 취한다.

일반적인 증상은 정수리 부분의 머리카락이 많이 빠지기 시작한다. 몇 달 정도 가렵다가 눈에 띄게 탈모 정도가 악화되면서 확대되므로 일찍 조치하면 초기에 탈모 진행을 막을 수 있다. 인체의 비정상적인 현상 및 두피가 청결치 못하거나 외부적인 요인으로 인하여 모발의 성장주기가 짧아지게 된다. 또 다른 경우는 성장주기에 변화가 생겨 필요 이상으로 하루에 탈모 수가 많이 늘어나거나 모발이 가늘게 생성되는 현상을 말한다. 탈모의 경우 하루 빠지는 머리카

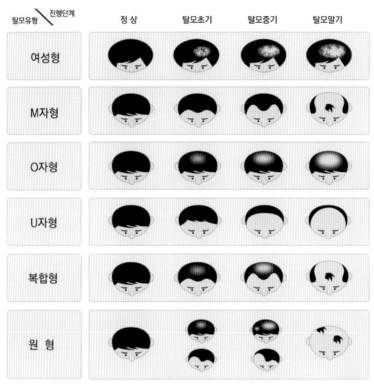

자료 : 광문각, 《두피모발관리학》

〈탈모의 유형〉

락 수는 일반적으로 약 100본 정도이다. 그러나 질병이나 원형 탈모 등으로 어느 날 갑자기 양이 늘어나는 경우가 있다. 비듬과 피지의 혼합으로 모공을 막으면 모근에 영양 공급이 어려워져 모근이 위축된다. 또한, 심한 다이어트나 편식으로 인한 영양 불균형은 모발에 충분한 영양 공급과 혈액순환이 되지 않아 생기는 탈모의 원인이 된다.

그 밖에 탈모의 요건은 다양하다. 10년 전에는 40대 남성들에서나 나타났던 탈모가 최근에는 20~30대에도 증가하고 있으며, 탈모 환자들이 350만명을 육박하고 있다. 특히 탈모는 모근의 손상 유무에 따라 회복과 관리가 불가능한 것이 있고, 의학적 시술 방식을 필요로 하는 반흔성 탈모도 있다. 이 시기에 미용적인 관리와 예방적 접근이 가능한 비반흔성 탈모로 나뉘는데 비반흔성 탈모에 관한 대체요법적 관리에 미용학적 관심이 커지고 있다

② 남성형 탈모증

머리를 감거나 빗을 때마다 수십 개씩 빠지는 머리카락 때문에 고민하는 경우를 우리는 종종 경험하게 된다. 덥거나 기온이 내려가는 가을, 겨울이면 탈모 현상이 더 심해진다. 하지만 탈모의 원인을 정확하게 파악하고 그 원인이 따라 적절한 관리를 해준다면 탈모를 예방하고 건강한 모발을 오래도록 유지할 수 있다.

남성형 탈모 예방법으로는 피지선을 자극하는 자극적인 음식이나 당분의 섭취를 삼간다.

탈모를 가중시킬 수 있는 두피의 불결을 해결하기 위해 항상 두피 청결에 신경을 쓴다.

정기적 관리를 통하여 모발과 두피에 영양을 공급한다.

두피를 지나치게 자극하지 않는다. (잦은 염색, 스타일링제 사용 등)

적당한 운동을 통하여 육체적, 정신적 스트레스를 해소한다.

탈모 초기에 관리를 하여 탈모의 시기를 늦추어 준다.

③ 여성형 탈모증

여성 탈모는 여성호르몬의 분비가 50대 이후 서서히 쇠퇴하고 남성호르몬과의 균형 유지가 되지 않아서 일어난다. 대부분 머리의 앞부분과 정수리의 머리가 가늘어지면서 발전한다. 여성 탈모증은 남성의 대머리와는 달리 가운데 가르마를 기준으로 하여 모발의 밀도가 3단계에 걸쳐 점차적으로 연모화되는 탈모 유형이 있다.

탈모증의 원인으로는 1) 유전적인 요인 2) 남성호르몬의 작용 3) 나이의 영향 등을 많이 받는 안드로겐성 탈모증 등이 있다. 여성 안드로겐 탈모증 혹은 여성 만성 탈모증이라고 한다. 그러나 이 경우에는 이마 위의 모발 선이 유지되며 정수리 부위의 머리숱이 없어져 머리의 가르마 선이 뚜렷해지는 정도이다. 부신

이나 난소의 비정상 과다 분비나 남성호르몬작용이 있는 약물 복용이 원인이 도는 경우가 있다.

그 밖에 여성의 유전성 안드로겐 탈모증은 원인은 유전과 남성호르몬에 대한 모낭 세포의 반응 때문이다. 탈모증의 증상으로 서서히 탈모가 진행되어 나이가 들수록 두피의 윗부분이 훤히 비추어 보이는 여성들의 모습을 많이 볼 수 있다.

여성 중에서도 대머리가 생기는 이유는 안드로겐이 난소와 부신에서 분비되기 때문인데, 유전적 소인이 있는 여성은 어느 정도 나이가 들면 호르몬의 영향으로 대머리가 진행된다.

(2) 모발 이상에서 오는 조건

모발은 건조해 지면 표면에 여러 형태의 균열이 생긴다. 모발은 손상을 받으면 형태적, 물리적, 화학적 변화가 일어난다.

① 형태적 변화 : 모발 표면에 마찰, 모소피의 박리, 모피질 및 모수질의 노출, 열모, 지모, 단모, 결절성모, 결모증 등
② 물리적 변화 : 흡수력 흡습력의 상승, 보습력의 상승, 수분 함량이 떨어짐, 팽창률의 상승, 인장 강도의 저하, 신축성의 변화, 탄력성 유연성의 저하, 정전성의 상승
③ 화학적 변화 : 시스틴 함량의 저하, 이온 결합 등의 이상, 아미노산 생성, 흡착 능력의 상승

(3) 모발 이상(Disorder of hair)

모발의 이상 현상은 그 증세에 따라 다음과 같이 구분할 수 있다.
① 모발의 밀도 : 다모증, 무모증, 탈모증
② 형태 이상, 연주모, 염전모, 백륜모, 결모증, 결절성 열모증, 축모, 헤어케스트
③ 색조 이상 : 백모증

④ 생물 기생에 의한 외관 이상 : 두부백선, 사모, 황세모

(4) 탈모의 손상 요인과 분류

모발 손상의 생리적 원인 가운데 영양소 결핍은 모발의 성장과 기능을 크게 약화시킨다. 이와 함께 뇌하수체에서 분비되는 각종 호르몬도 모발의 성장과 멜라닌 색소 합성에 관여하고 있어 호르몬의 분비가 떨어지거나 억제되면 모발의 손상이 쉽게 일어난다.

① 원형탈모증 : 탈모의 형태는 원형으로 탈모 부위는 매끄럽다. 탈모 부위가 한두 군데이지만 2차적으로 다발로 나타나는 경우도 있다. 모발 끝이 가늘고 악성인 경우에는 많이 발생하고 융합해서 불규칙한 모양이 되는 수도 있고 전두부 탈모에서 눈썹, 수염 등의 탈모까지 이를 수가 있다. 원인으로는 자율신경계에 의한 혈행의 장애로 오는 것으로 알려져 있다.

② 신경성 탈모증 : 경계가 분명치 않은 불완전 탈모 전두부에 한정되지 않은 부정형 선상 지도 모양이다 원인으로는 중추신경질환인 진행성 마비와 말초신경장애인 신경성 쇼크이다.

③ 비만성 탈모증 : 비만성으로 오는 것은 처음은 조금씩 오지만 점차 많아지고 전두 탈모를 일으킬 수 있다. 모발은 건조해 있고 광택이 없고 정상 길이로 자라지 못한다. 탈락 비듬이 많고 가려움을 호소하지만 두피에 염증은 없다. 원인으로는 비타민 A, D의 부족에 의한 두피각화 비정상과 위장장애, 빈혈, 결핵, 신경쇠약 자율신경 실조, 두피 압박이 원인다.

④ 지루성 탈모증 : 두피가 유성으로 끈적하기도 하다. 대개 모발은 가늘고 연하고 달라붙는 느낌, 장년성 탈모와 합경하는 경우가 많다. 원인으로는 피지 분비 과잉에 의한 모근 각화 장애이다.

⑤ 장년성 탈모증 : 20세 전후부터 일어난 탈모, 두피는 매끄럽고 긴장성으로 광택이 있다. 지루성 탈모와 합병증이 온다. 원인으로는 피지 분비 과잉에 의한 모근각화 장애이다.

⑥ 노인성 탈모증 : 50세 이상 여성에게서 발병하며 그 원인으로는 모유두 조직의 노화와 두피 경화이다.

⑦ 장년성 탈모증 : 남성형 대머리

⑧ 원형 탈모증 : 다발성 원형 탈모증, 비만성 탈모증

⑨ 여성 탈모증 : 머리숱이 전반적으로 작아지는 탈모 증상, 여성 탈모증은 여성의 2/3 정도에서 일생 동안 한 번은 경험

⑩ 지루 탈모증 : 지루 탈모증은 두피에 심한 지루성 피부염의 징후가 생겨 탈모가 생길 수 있다. 피지가 과잉 분비되어 두피가 끈적거리고 항상 기름기가 있다.

⑪ 결발성 탈모증(견인성 탈모증) : 머리카락을 세게 땋거나 직선으로 잡아당기거나 파마를 할 때 너무 세게 모발을 말아서 모양을 만든 경우 모근부에 가벼운 염증이 발생하여 모근부가 위축되어 빠진다.

두피 손상에서 오는 탈모로 누구에게나 이상 탈모가 발생할 수 있으며 모발의 성장주기에 이상 현상이 생기는 등 탈모의 원인은 다양하다. 인체에서 탈모가 되는 내부적 요인으로는 1) 유전적 요인 2) 남성호르몬 이상 3) 스트레스 등과 같은 내분비적 요인과 질별 등으로 구분할 수 있다. 외부의 환경적 요인으로는 두피의 불결 및 환경오염 등과 같은 외부적 요인이 많은데 탈모의 원인별로 구분할 수 있다.

① 유전적 요인 : 탈모 자체가 유전이 되지 않는다. 다만 탈모가 되기 쉬운 체질이 유전이 되거나 탈모를 일으키는 요인이 유전이 된다.

② 혈행 장애 : 두피가 외부적 혹은 내적 요인에 의해 혈관이 압박을 받으면 혈액순환이 원활하지 못해서 모유두의 영양 공급이 장애를 받아 탈모 현상이 온다.

③ 잘못된 식생활 : 지방이 많은 음식, 인스턴트식품, 향신료 음식, 잘못된 다이어트, 높은 콜레스테롤 등 과잉이 탈모를 유발한다.

④ 스트레스성 탈모 : 스트레스를 많이 받거나 남성호르몬의 과잉 분비를 유발, 혈액순환 장애를 받을 경우 남성호르몬의 과잉 분비는 피지 생성을 촉진하여 두피에 영향을 미친다.

⑤ 잘못된 샴푸 법 : 샴푸는 1일 1회를 기준으로 하며, 모발을 세정하는 것보다 깨

곳이 헹구는 것이 더 중요하다. 두피가 불결하면 모발 성장에 저해 요인으로 작
용할 수 있다.

ⓕ 비듬 : 비듬에 의한 탈모는 두피 상태에 따라 지성, 건성으로 나눌 수 있으며, 비
듬 자체는 탈모와 무관하지만 모공을 막을 경우 모발 성장에 좋지 않다.

ⓖ 기타 요인 : 호르몬의 불균형, 운동 부족, 피지 분비 이상, 노화된 각질 등이 있
다.

5) 흰머리 예방과 영양

백발 현상이나 탈모가 생기는 것을 막으려면 두피관리, 마사지가 중요하다. 백발은 멜
라닌을 만드는 모발 속의 색소 세포의 작용이 쇠퇴하거나 없어지는 원인으로 인하여 발
생하는 일종의 노화 현상이다.

선천적인 약물의 영향, 쇼크 등으로 인하여 백발이 나타나는 경우도 있다. 그러나 영
구 백발은 모발 자체의 생리 기능은 변함이 없고 멜라노사이트(melanocytes)가 사멸된
것이 원인으로 나타난다. 요즘 연령층의 제한 없이 흰머리가 크게 늘어나는 가장 큰 원
인은 직장인들의 과다한 업무 및 스트레스와 쇼크이다.

머리가 세는 것은 모발 속에 들어 있는 멜라닌 색소가 없어지기 때문이다. 유전 또는
정신적 충격, 혈류 장애, 위장 장애, 빈혈, 영양실조, 뇌하수체 장애 등 질병으로 인하여
멜라닌 색소를 만드는 기능이 떨어질 때 일어난다.

모발 손상의 원인은 본래 모발을 청결하게 유지하고 보호하기 위한 일상 손질과 빗질
중에 무리한 힘에 의하여 지모, 절모, 모소피 탈락과 같은 눈에 보이는 손상이 발생된다.

4. 샴푸와 린스

두피와 모발에는 매일매일 환경오염, 세균, 스타일링 제품, 땀과 피지에 의하여 불순물이 쌓이게 된다. 두피와 모발을 깨끗하게 하지 않으면 비듬과 탈모가 생기며 각종 질병을 유발시킬 수 있다. 샴푸는 물리적 화학적인 복합 작용으로 모발과 두피를 건강하게 해준다. 따라서 사람마다 두피와 모발의 상태가 다르므로 이에 맞는 샴푸제와 샴푸의 횟수를 선택해야 한다. 샴푸란 사전적 의미로 "머리를 씻다."라는 뜻으로 두피 및 모발을 세정하여 두피의 비듬과 가려움을 덜어 주고 두피 및 모발을 건강하게 유지하기 위하여 사용되는 모발 관리용 화장품을 말한다.

1) 샴푸

(1) 샴푸의 역사

샴푸의 어원은 힌두어인 'champoo'에서 기원하였다고 하며, 사전적으로는 '비누나 샴푸를 이용하여 머리를 감는다, 씻다, 마사지하다.'라는 뜻으로 미용실에서 고객에게 행하는 최초의 서비스이고, 헤어스타일을 만들기 위한 가장 기본적인 행위로써 모발과 두피를 세정을 뜻한다.

최초의 액체 샴푸는 소다 결정을 넣고 끓인 검은 비누로 제조되었기 때문에 거의 관심조차 끌지 못했다. 1900년부터는 수산화칼륨 비누 제조 방식이 도입되었는데, 이는 야자유와 함께 제조되었으며 때때로 올리브유나 아주까리기름이 첨가되기도 했다. 새로운 형태의 이 샴푸는 거품이 훨씬 풍부했지만 모발을 지나치게 손상시켰다. 1928년에 비로소 야자유에서 중성 나트륨염을 합성해 냄으로써 오늘날 우리가 쓰고 있는 샴푸가 만들어지게 된 것이다.

1930년대 중반까지는 주로 비누로 모발을 세정하였다. 그런데 우리가 흔히 단물이라 부르는 연수를 사용할 때는 괜찮으나 센물에 비누로 머리를 감게 되면 비누의 물

때가 생겨 머리카락이 뿌옇게 되는 결함이 생기게 되었다.

이후 코코넛오일로 만들어진 물비누를 사용하게 되는데, 이게 바로 샴푸의 시초가 된다. 코코넛오일로 만들어진 물비누는 일반 비누보다 거품이 잘 일고 잘 씻겨는 장점이 있다. 그러다 1930년대 초 일본의 '다케우치 고도에'라는 중소기업 여자 사장이 양털 세척액을 만들어 판매했다. 양털은 깨끗이 세척해 오물을 완전히 제거해야만 상품으로써의 가치를 인정받을 수 있으므로 세척액은 불티나게 팔렸다. 그러던 어느날 아이들이 집에서 돌같이 단단한 비누로 머리를 감는 것을 보고 양털처럼 세척제로 감는 것이 편리하겠다는 생각을 하게 된다. 그녀는 자신이 만들고 있는 양털 세척제를 분석해 인체에 해로운 독성을 제거하고 향료를 첨가해 사람들의 관심을 끌게 했다. 결국 최초의 샴푸인 '모발용 세척제'가 탄생했고 샴푸라는 상품명을 사용하게 되었다.

그리고 곧 현재의 샴푸 형태를 갖추게 되는데 김, 달걀흰자, 벤토나이트 등을 함유하였다고 한다. 1940년대 미국에서 지방산과 알킬설파이드를 사용한 산성 린스를 판매하기 시작했다. 1950~1960년대에 걸쳐서는 비이온성 계면활성제를 첨가하여 물때가 사라지고, 1970년대에는 다기능 샴푸의 전성시대를 맞이하게 되는데 샴푸와 린스를 동시에 하는 샴푸와 향을 첨가한 향수 샴푸, 그리고 샴푸 후 염색 기능이 있는 컬러린스 등이 이에 해당된다.

1990년대에는 고기능 샴푸들이 주류를 이루고 있으며, 샴푸 성분에 콜라겐, 엘라스틴, 아미노산과 비타민 등을 첨가하여 모발의 손상을 억제하는 모발 샴푸 및 육모나 탈모 방지 샴푸가 나오는 것도 이 시기이다.

우리나의 경우 삼한시대부터 여인들이 머리 장식에 공을 들였다는 기록들이 출토된 유물로 알 수 있다. 삼국시대에는 불교가 전래되는데 몸을 깨끗이 하는 것이 경건한 것으로 여겨져 불교가 보급되던 6세기경 목욕 문화가 발전되었다고 전해진다.

우리나라는 예전부터 녹두나 팥, 녹차, 쑥, 무청, 쌀겨 등으로 머리를 감거나 세정제로 사용하였는데, 알려진 바로는 단옷날 창포잎을 달인 물에 머리를 감는 풍습이 있다.

■ 연수(단물)와 경수(센물)의 특징 알아보자.

물속에는 많은 양이온 성분과 음이온 성분들이 들어 있는데 특히 그중에서 양이온 성분(칼슘, 마그네슘 등)이 상대적으로 적은 물을 연수라고 한다. 연수는 단물이라고도 하는데 비누가 잘 용해되고 때가 잘 진다. 깨끗한 피부 유지를 위하여 부드러운 머릿결 유지를 위하여 연수가 적당하다.

경수란 수중에 2가 양이온과 음이온이 결합하여 생성된 물질인 칼슘 화합물과 마그네슘 화합물이 함유되어 있는 물을 경수라고 칭한다.

경도가 높은 물은 비누의 효과가 나쁘므로 가정용수와 공업용수로 좋지 않으며, 특히 보일러 용수로서는 물때(Slim)의 원인이 되므로 부적당하다.

Ca, Fe 등은 인체에 필요한 성분으로 음료수에 다소 있는 것은 좋으나, 너무 경도가 높으면 설사를 일으킬 수 있으며, 경수의 칼슘 이온, 마그네슘 이온이 피부 자극 물질로 작용하여 다양한 피부 트러블을 유발하기도 한다.

우리나라 음용수 기준으로는 300ppm 이하로 되어 있으나 실제로는 100ppm 이하가 좋다고 본다.

독일, 일본 등에서는 물 100cc가 산화칼슘(CaO) 1mg을 함유할 때를 1도로 하고 미국에서는 물 1000cc 중에 함유된 탄산칼슘($CaCO_3$) 1mg을 1도로 한다.

우리나라에서는 탄산칼슘이 0~60ppm이면 연수, 61~120ppm 아연수, 121~180ppm 아경수, 181ppm 이상이면 경수라고 한다.

(2) 샴푸의 목적

샴푸에는 크게 두 가지 목적이 있다. 하나는 모발의 불순물을 제거하는 것으로 인체에서 분비되는 불순물과 외적인 오염을 제거하는 세정작용이 있고, 또 세정을 위하여 손동작을 함으로써 두피에 적당한 자극을 주어 모발의 육성을 촉진시키는 것이다. 두피의 때에는 땀샘이나 피지선으로부터의 분비물에 의한 내부로부터의 때와 두발 화장품이나 대기 중의 먼지와 같은 외부로부터의 때가 있다. 이들 때가 끼게 되면 세균이 증식하고 피지와 유기물의 분해가 촉진되어 그 대사 부산물에 의해 불쾌한 냄새와 가려움증이 나타난다. 더욱 심해지면 모공이 막혀 모유두의 기능이 저하되어 모발의 정상적인 발육이 방해받게 된다. 그래서 탈모가 많아지는 등의 증상이 일어나기도 한다. 샴푸는 두피와 모발을 청결히 하며 두부의 상태를 조절하기 위해 사용된다.

(3) 샴푸의 성분

샴푸의 기본 성분은 물과 계면활성제인 인공 합성세제가 중심이 되며 그 밖의 첨가제인 거품제, 정전기 방지제, 엉킴 방지제, 방부제, 조정제, 향료 등을 혼합한다.

(4) 계면활성제의 작용과 종류

계면활성제는 'Suface active agent'의 줄임말로 계면활성제(surfactant)는 물의 표면장력을 감소시켜 오일(oil)이 퍼지도록 하고 모발을 물에 적셔서 쉽게 씻을 수 있게 한다. 계면활성제는 물과 오일이 만나는 표면 또는 경계면의 표면 장력을 감소시키는 화학물질이다. 계면활성제는 세척제, 습윤제, 유화제, 거품 형성제, 분산제 등으로 작용한다. 샴푸를 제조하는데 기본적으로 계면활성제가 사용된다. 계면활성제는 샴푸에 거품과 세정력을 제공한다. 계면활성제는 양친 매성물질(amphiphilic substance)로 물과 친화력을 가지고 있는 친수성 (hydrophilic) 부위와 지질과 친화력을 가지고 있는 소수성 (hydrophobic) 부위를 모두 가지고 있다. 계면활성제는 오일과 물을 녹여 결합시키는 물질이다.

머리카락을 젖을 수 있게 하고 표면장력을 줄여 물 안에 오일을 퍼뜨린다. 한 개의 계면활성제 분자는 오일과 물이 섞일 수 있도록 유화시킬 수 있는 전혀 다른 두 부분을 가지고 있다. 계면활성제 분자의 한쪽 말단은 친수성 부위이고 다른 쪽 끝은 소수성 부위이다.

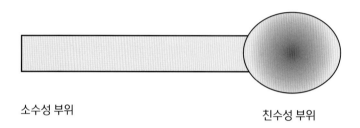

소수성 부위   친수성 부위

계면활성제는 이온화 상태로 되는 친수성 부위에 따라 양이온성 계면활성제(cationic surfactant), 음이온성 계면활성제(anionic surfactant), 비이온성 계면활성제(non-ionic surfactant), 양성 계면활성제(amphoteric surfactant)로 구분된다.

이온화된 계면활성제는 전해질인데 이들의 이온 극은 지방사슬이라 불리는 긴 탄화수소 사슬 말단에 위치하고 있으며 이들 전하에 따라 분류된다. 즉 활성작용을 가지는 이온 극의 원자단이 양(+)이온인지 음(-)이온인지 그리고 비이온화되어 있는지에 따라 분류한다.

① 음이온 계면활성제

비누는 음이온성 계면활성제이고 샴푸에도 거품의 발생과 세정력이 뛰어난 음이온선 계면활성제를 주로 사용하고 있다. 음이온성 계면활성제는 그 특유의 작용에 따라 모발과 두피의 오염물을 제거한다. 음이온성 계면활성제의 단점은 두피를 거칠게 하거나 자극을 준다. 따라서 다른 계면활성제나 성분들을 첨가해서 피부 자극을 줄일 수 있다.

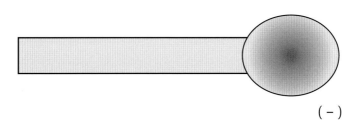

(-)

비누는 가장 일반적으로 사용되는 세제로 모발과 피부를 깨끗하게 씻어주는 데 처음 사용된 세정제이다. 비누는 지방산의 중화에 의해서 또는 알칼리로 처리하여 글리세롤과 지방산으로 분리되는 트리글리세리드의 비누화 과정을 통해서 만들어지는 지방산염이다. 비누는 동물성 지방이나 식물성 오일을 원료 성분으로 하여 강알칼리성 물질을 혼합해서 비누화 과정을 통해 만든다. 가장 일반적으로 사용되는 식물성 오일은 코코넛 오일, 야자나무 오일, 올리브 오일 등을 비누의 원료로 사용한다. 중화 과정을 통해 지방산을 비누로 전화시키기 위해서 알카놀아민류와 같은 유기염기나 소다와 잿물과 같은 무기염류를 사용한다. 비누는 여러 가지 불편한 점이 있다. 비누는 경수와 만나면 잘 녹지 않는 단단한 필름 막을 형성한다. 이들 필름 막은 모발을 피복해서 모발을 산뜻하지 않게 보이게 한다. 또한, 높은 알칼리성 비누는 모발과 피부에 나쁜 영향을 준다.

② 양이온 계면활성제

양이온성 계면활성제는 일반적으로 습윤과 유화 및 분산 등의 성능이 강하고 피부 자극이 심하며 세정작용이 약하기 때문에 샴푸에는 거의 사용되지 않는다. 특히 양이온성 계면활성제는 눈에 들어가면 위험하기 때문에 적은 양을 사용한다. 양이온성 계면활성제는 항균성 기능을 가지고 있다. 이 중 일부 계면활성제는 항균 및 살균작용이 강하기 때문에 소독 살균제에 이용되기도 한다.

양이온성 계면활성제는 양(+) 전하를 띤다. 그러므로 음(-) 전하를 띠는 모발 표면과 이온 결합을 형성하게 된다. 이런 결과는 모발을 부드럽고 광택이 나게 하여 젖은 상태에서 빗질을 하게 되면 부드럽고 유연하게 빗질이 된다. 양이온성 계면활성제 중에서 가장 중요한 것은 4기 암모니움 화합물이다. 4기 암모니움 화합물은 양전하를 띠기 때문에 음전하를 띠는 모발과 결합한다.

모발은 수많은 이온 결합들로 이루어져 있는데 음이온은 양이온보다 훨씬 많이 존재한다. 그래서 모발 표면은 음(-) 전하를 띤다. 4기 암모니움 화합물은 젖은 상태에서 빗질이 잘되게 하며 정전기가 일어나는 것을 방지한다.

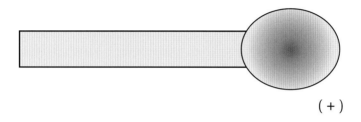

(+)

③ 비이온 계면활성제

비이온성 계면활성제는 양(+) 전하와 음(-) 전하를 모두 가지고 있지 않다. 이것은 이온화 상태에서 해리되지 않지만 유화의 분산, 용해성 및 침투성 등이 뛰어난 특성이 있다. 비이온성 계면활성제는 세척제로써 유용하지 못하지만 모든 샴푸에 첨가되는 성분으로 양이온성 계면활성제보다 덜 자극적이고 부드럽게 만들기 위한 목적으로 비이온 계면활성제를 첨가된다. 또한, 샴푸의 성분으로 첨가되는 향료와 색소를 혼합하는데 가용제로서의 역할을 한다.

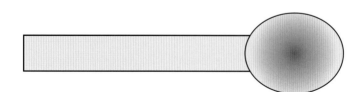

④ 양성 계면활성제

양성 계면활성제의 전하는 전반적으로 샴푸의 pH에 따라 다르게 나타난다. 양성 계면활성제는 pH 5 또는 6 이하는 낮은 pH에서 양이온성 계면활성제처럼 양(+) 전하를 띤다. 높은 pH에서는 음이온성 계면활성제처럼 음(-) 전하를 띤다. 중간 pH에서는 비이온성 계면활성제처럼 전하를 띠지 않는다. 이런 변화하기 쉬운 성질을 가지고 있어 양성 계면활성제는 유용하게 쓰이고 있다.

양성 계면활성제는 조정할 수 있는 특성을 가지고 있어 눈의 자극이나 피부 민감성을 낮춰 줄 수 있다. 이들 계면활성제는 비자극성 베이비 샴푸에 사용된다. 또한, 음이온성 계면활성제보다 가격이 비싸고 세정력도 떨어지지만 고품질의 샴푸에 우수한 첨가제로 사용된다.

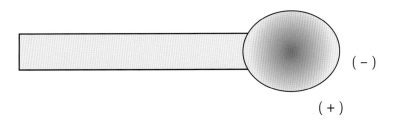

(5) 샴푸제의 선택

이·미용실에서는 1~2종류의 샴푸제를 배치하고 있는 경우가 많으나 본래 샴푸제의 선택은 고객의 시술에 따라 다양하게 준비하는 것이 필요하다.

샴푸가 구비해야 할 기능으로는 약알칼리로서 케라틴은 팽윤 연화하기 때문에 비듬 등의 노폐물을 제거하기 전에는 좋지만 강알칼리는 모발을 손상시킨다. 그러므로 유리 알칼리가 많은 비누는 부적당하다. 비누계의 샴푸제는 경수에서는 세정력이 저하되고 비누가스(금속석 피막)를 만들어 모발의 감촉을 나쁘게 하므로 퍼머넌트 웨이브, 염색 시술 시 장애가 되며, 미셀 한계농도에 따라 다르므로 높은 농도를 사용해야 한다. 기포력이 좋은 샴푸제를 선택하여 탈지력이 높으면 피부 감촉이나 윤기를 없앤다. 그러므로 적당한 세정력과 거품이 잘 일어나며 과도한 탈지를 막으며 알칼리가 강하지 않으면서 세정력이 우수해야 한다. 거품의 지속력과 거품력이 적당함으로써 입자가 고와 씻어낼 때 어떤 물에서도 거품이 깨끗이 제거됨으로써 헹굼이 간단해야 한다. 또한, 세정 후의 건조, 빗질 등의 마무리가 좋아야 하며 눈과 두피 및 두발에 자극을 주지 않는 안전성도 고려하여야 한다.

⑹ 샴푸와 물

합성세제를 주제로 한 샴푸제는 경수에도 세정력이 있어 거품을 내지만 비누를 주제로 한 샴푸에는 거품을 내지 않는다. 지하수와 같은 경우에는 칼슘 (Ca), 마그네슘 (Mg)이 함유하고 있어 금속비누(불용성 알칼리 비누)를 형성한다. 그러므로 경수를 끓이거나 이온교환 수지법으로 연수화하여 사용한다. 연수란 Ca, Mg, Pb이 적게 함유되어 있는 경도 10도 이하인 것을 말한다. 고급 알코올계의 계면활성제나 양성 계면활성제를 주제로 한 샴푸제는 거품력과 세정 효과가 우수하다.

(7) 샴푸 시 주의사항

■ 샴푸 시 어떠한 점에 대하여 주의하여야 하는지 알아보자.

　- 너무 뜨겁지 않은 온도로 샴푸한다.

　- 손톱보다는 손끝 지문을 이용한다.

　- 깨끗하게 세정한다.

■ 동작(handling)

1 경찰법(stroking) : 가볍게 문지르는 방법으로 손바닥이나 네 손가락, 엄지 등을 이용한다.

2 강찰법(friction) : 강하게 문지르는 방법으로 손바닥이나 네 손가락, 엄지 등을 이용하여 피부를 누르면서 행한다.

3 유연법(kneading) : 손바닥으로 약지와 엄지를 이용하여 근육을 집었다 놓았다 하며 주물러서 근육을 풀어 주는 방법으로 샴푸 마무리 후 목덜미 등에 사용한다.

4 지그재그법(Z-zagging) : 한쪽 손 네 손가락으로 지그재그로 비벼주며 마사지해 준다.

지그재그하기

⑤ 나선형법(spiraling) : 한쪽 손의 세 손가락 네 손가락을 이용하여 굴려주며
비벼 마사지해 준다.

굴려주기

⑥ 양손 교차법(alternating) : 양손으로 헤어라인에서 정수리(백회)까지 지그재
그로 교차하며 비벼 마사지해 준다.

양손교차 사용하기

⑦ 집어 튕기는 법(pinching) : 양손으로 두피를 쥐었다 놓았다 하며 짧게 튕겨 준
다.

튕겨주기

2) 린스

린스란 '머리를 헹굴 때 쓰는 세제'로 샴푸만 사용하게 되면 과도한 피지 제거와 음이온 계면활성제의 영향으로 (-)이온으로 대전되면서 모발끼리 서로 밀어내려는 전기적인 성격을 가지게 된다. 따라서 샴푸의 음이온성 계면활성제에 의해 (-)이온화된 모발을 린스의 양이온성 계면활성제를 사용하여 전기적으로 중성화시켜야 한다. 린스는 통상적으로 샴푸 후 사용하는 컨디셔너의 일종으로 린스, 컨디셔너, 트리트먼트의 명확한 구분은 존재하지 않는다.

일반적인 성분들 중 가장 특이한 것은 양이온성 계면활성제가 주성분이라는 것이고, 나머지 보조 성분들은 샴푸에서 나오는 성분들과 유사한 것을 사용한다.

여러 가지 원인에 의하여 발생하는 모발의 손상을 보완시켜 주며 모발에 광택을 부여하고 빗질을 용이하게 해주며 모발을 표면 상태를 정돈할 목적으로 사용하는 화장료로서 세척 후 생기는 정전기를 막아주는 역할을 하는 제품을 말한다.

> 주성분인 양이온성 계면활성제 첨가제를 사용하는 제품
> 컨디셔닝제, 점증제, 보습제, 금속이온 봉쇄제, 착색제, pH 조절제, 착향제 등

(1) 린스의 목적

① 불순물 제거의 목적으로 구연산 등을 배합한 산성 린스의 경우 모발에 잔류하는 알칼리와 금속비누를 제거하기 위해 사용된다.

② 모발에 촉촉한 감을 주고 거친감을 제거시킴과 동시에 매끄러움을 부여해 표면 상태를 정돈할 목적으로 사용한다. 두피의 등전점에 가까운 pH는 세균의 번식을 방지하여 비듬을 억제하는 기능도 가지고 있다.

(2) 린스의 성분과 린스의 종류

린스의 일반적인 성분은 유연한 감촉과 광택을 주기 위한 유성 성분으로서 지방분을 보급하여 모발 표면에 피지막을 만든다. 이 피지막이 모발의 수분 증발을 막아주고 촉촉한 감을 주며 빗질할 때의 마찰로부터 모발을 보호하여 매끄러움과 광택을 준다.

종류는 라놀린, 스쿠알렌, 유동파라핀, 지방산과 유도체, 고급알코올, 에스터류 외에 합성 유성 성분으로 실리콘유인 알파올레핀, 올리고머 등이 사용된다.

보습제로서는 글리콜류가 자주 사용된다.

글리세린은 모발에 흡착하여 헹군 후에도 잔존해 보습 효과가 있으며 폴리프로필렌글리콜 올레인 에터, 모노부틸 에터 등도 효과가 있다. 수용성 고분자 물질도 보습 효과에 의해 모발의 보호작용이 있으며 점증제 혹은 유화 분산제로도 응용되고 있다. 대표적인 것으로서는 폴리비닐피로리돈, 메틸셀룰로오스, 하이드록시 에틸셀룰로오스, 아크릴산 폴리머 등이 있다. 이러한 것들은 일반적으로 린스에 0.2~2%의 범위 안에 첨가되지만 그 효과는 첨가량에 비례하므로 건조 후 입자가 생긴다든지 분리, 침전 등의 안정성에도 영향을 미치므로 주의해야 한다.

모발 타입별로 건성인 모발에 주로 사용하는 린스와 지성인 모발에 사용하는 린스, 그리고 중성 모발에 사용하는 린스로 나누는 것이 일반적인 분류이다.

① 산성 린스제

산성 린스제는 물속의 칼슘이나 마그네슘 등과 비누의 응고 성분을 용해시키므로 모발이 엉키는 것을 방지하고 모발을 유연하게 하며 모발 표면에 광택을 부여해 준다. 지금과 같은 샴푸가 발달되기 전에 사용하였던 린스로 비누 세발 후 남는 불용성 금속 비누 또는 알칼리 성분을 중화시키기 위해 주로 사용하며 지금은 퍼머넌트 웨이브제 처리 후 중간 단계에서 알칼리 성분들을 중화시키거나 염색, 블리치 등의 컬러 작업 후에 사용한다. 특수 산성 린스제는 모발에 있는 비누 응고 성분들을 제거하여 빗질을 용이하게 해주면서 모발에 윤기를 부여한다. 산성 린스제는 표백작용이 있어 장기간 사용을 피하는 게 좋다. 성분은 구연산(citric acid), 주석산(tartaric acid), 초산(acetic acid), 젖산(lactic acid)으로 나눌 수 있다.

현재 산성 린스제로는 주석산, 구연산, 초산 등으로 사용되나 가정에서는 천연 레몬즙이나 식초를 약 10배 정도 희석하여 사용하는 경우도 있다.

② 오일 린스제

모발에 유분을 보급하고자 계면활성제가 나오기 이전에 따뜻한 물에 올리브유 등을 녹여서 잘 혼합하여 모발에 유분을 보급할 목적으로 모발을 헹구는 데 사용되었다. 하지만 유분의 경우 모발에만 부착되는 것이 아니라 두피에 부착되는 결점이 있으므로 현재는 사용하지 않고 있다. 성분적으로는 차이가 없고 제형에만 차이가 있다.

③ 플레인 린스

따뜻한 물로 모발을 헹구는 방법으로 콜드 퍼머넌트 웨이브에 1액을 세척하는 중간 린스이다. 린스 물의 온도는 38~40℃의 연수가 좋다.

④ 퇴색 방지 린스

산화염료에 의한 염모제인 경우 전구체와 커플러의 염료가 모발 내에서 H_2O_2의 산화작용을 받아 중합·축합됨으로써 거대 분자가 형성됨과 동시에 착색되나 모표피와 모피질은 다공성이 된다. 염모 후의 모발은 알칼리모가 되어 모발 자체가 일종의 과산화물이 된다. 팽윤화 된 모발을 산성 린스로 처리해야 하나 이미 모발의 산도가 높아 산도가 높은 린스를 사용하면 염색 직후 퇴색이 빨리 진행되므로 pH 완충작용이 있는 모발 등전점 부근의 린스로 알칼리를 중화하는 방법이 적당하다. 그러므로 색소의 퇴색을 예방하고 이온 염착에 따른 일시적 염모제의 흡착력을 보강하며 선명한 채도를 수반하기 위해 퇴색 방지 린스를 사용한다.

ⓟ 일광 방지 린스

자외선은 여름과 가을, 태양광선량이 많아 자외선에 의한 모발이 경화됨과 동시에 노화 또는 변성모가 되어 손상된다. 자외선 흡수제로는 올레인산 키니네, 파라아미노 안신향산 아이소프로필에터, 살리실산페닐 등이 배합되어 있다. 피부와 비교해 모발은 친화력이 좋기 때문에 일광 방지 스킨크림보다 긴 시간 효과가 있다. 퍼머넌트 웨이브 모발, 탈색모, 염색모는 건강모와 비교해서 자외선에 민감하므로 자외선 흡수제가 배합된 린스를 사용해야 한다.

※ 수행 평가(체크리스트)

	항목	자가 진단		
		우수	보통	미흡
1	모발 상태와 관리 방법에 따라 샴푸제를 선정하여 시술할 수 있다.			
2	모발 상태와 관리 방법에 따라 관리 제품을 도포한 후 핸드링할 수 있다.			
3	영양 공급과 유·수분 균형 조절을 위해 팩과 앰플을 사용할 수 있다.			
4	모발관리에 필요한 기기와 기구를 선택하여 사용할 수 있다.			

SCALP CARE & TRICHOLOGY **4** PART

두피 · 모발관리 마무리하기

Ⅳ. 두피 · 모발관리 마무리하기

학습	수준		학습 내용	이수 시간
1201010112_14v2.4 두피 · 모발관리	4	4.1	두피 · 모발 진단기를 사용하여 시술 전 · 후의 변화를 비교하여 고객에게 설명할 수 있다.	12
		4.2	두피 · 모발 상태에 따라 관리에 적합한 제품을 사용하여 마무리할 수 있다.	
		4.3	관리 종료 후 헤어스타일을 연출하여 마무리할 수 있다.	
		4.4	건강한 두피 · 모발 상태 유지를 위한 관리법을 고객에게 설명할 수 있다.	

http://www.ncs.go.kr

※ 학습 모듈 개요

두피 모발 진단을 통하여 관리 매뉴얼로 실습할 수 있다.

건강한 두피 모발 상태를 유지할수 있도록 관리법을 고객에게 설명하고 안내할 수 있다.

※ 학습 목표

① 두피 · 모발 진단기를 사용하여 시술 전 · 후의 변화를 비교하여 고객에게 설명할 수 있다.

② 두피 · 모발 상태에 따라 관리에 적합한 제품을 사용하여 마무리할 수 있다.

③ 관리 종료 후 헤어스타일을 연출하여 마무리할 수 있다.

④ 건강한 두피 · 모발 상태 유지를 위한 관리법을 고객에게 설명할 수 있다.

※ 주요 용어

두피 모발관리, 홈케어

1. 배운 내용을 토대로 실습을 통하여 두피 · 모발을 관리한다.
2. 건강한 두피 · 모발 상태 유지를 위한 관리법을 고객에게 설명한다.

1. 상호 실습하기

두피 · 모발 진단기를 사용하여 시술 전 · 후의 변화를 비교하여 고객에게 설명할 수 있다.

▼

두피 · 모발 상태에 따라 관리에 적합한 제품을 사용하여 마무리하기.

▼

관리 종료 후 헤어스타일을 연출하여 마무리할 수 있다.

① 모델 선정

② 진단(현미경 사용) - 두피 · 모발 촬영, 진단

③ 메뉴얼 테크닉 - 모발 브러싱 단계(두피 전용 빗 사용)

④ 두피 스켈링(제1 클렌징) - 레귤레이터, 스캘프 로션

⑤ 두피 수분 공급 - 스티머 사용

⑥ 세정(제2 클렌징) - 샴푸

⑦ 두피 경혈 마사지 - 경혈을 이용한 지압

⑧ 두피 재생 및 강화 단계 - 두피 및 모발 영양 공급 단계(두피 및 모발관리 기기 사용)

⑨ 릴렉스 단계 - 손을 이용한 목, 어깨 근육 마사지

⑩ 홈케어를 안내하고 관리를 종료한다.

2. 건강한 두피 · 모발 상태 유지를 위한 관리법을 고객에게 설명하기.

1) 홈케어의 중요성

두피관리를 주기적으로 받았다 하더라도 그 자체만으로 100% 완전한 관리가 될 수는 없다. 두피관리를 받은 그 이후에는 고객 스스로의 노력이 절실히 필요한 것이다. 홈케어 제품은 물론이고 고객의 라이프스타일이나 주변 환경, 식생활 등도 사후 관리하는 것이 두피 · 모발관리사의 역할임을 인지하여야 한다.

2) 두피 유형별 홈케어 관리

(1) 정상 두피

정상 두피는 모공이 불순물 없이 깨끗한 상태로 열려 있고, 두피 전체가 우윳빛으로 투명하다. 한 개의 모공에 2~3개의 모발이 자리 잡고 있으며 모발에는 윤기가 난다. 앞으로의 예방 차원의 홈케어가 필요하고 현 상태를 유지하는 것이 중요이다.

① 정상적인 두피의 상태가 유지될 수 있도록 관리한다.
② 어깨 매뉴얼 관리를 통하여 어깨 근육을 풀어주어 혈액순환이 잘되도록 한다.
③ 영양의 균형을 유지하도록 식습관과 생활 리듬이 깨지지 않도록 한다.
④ 샴푸는 1~3일 중 1회 샴푸한다.

(2) 지성 두피

피지 분비를 촉진할 수 있는 음식의 섭취를 줄이고 두피의 강한 자극을 피하며 샴푸 시 피지 분비를 완화하는 세정제를 사용하고 뜨거운 물로의 세정은 피해야 한다.

① 두피를 깨끗하게 세정하고 피지를 조절할 수 있는 관리에 중점을 두어야 한다.
② 과다한 피지로 인하여 모공이 막혀 모근세포의 호흡작용이 활발하지 않아 모발

이 가늘어지고 탈모가 생길 수 있으므로 막힌 모공을 열어 주고 쌓인 피지를 제거한다.

③ 염증 등이 생겼을 때에는 염증 치료를 받은 다음 관리를 받도록 한다.

④ 과다한 피지는 땀과 먼지 등을 흡착하여 세균의 온상이 될 수 있으므로 관리 시 세균에 대한 저항력을 키운다.

⑤ 두피 스켈링 후 각질이나 비듬이 관리 전보다 더 나타날 수 있다는 것을 사전에 이해할 수 있도록 고객에게 충분히 설명을 한다.

⑥ 샴푸는 두피 상태에 따라 1일 1회에서 2회 샴푸한다.

(3) 건성 두피

표면에 각질이 쌓여 있고 각화된 표피가 제때에 떨어지지 못해 모공이 막혀 쉽게 염증이 생기고 울혈은 없지만 두피가 가렵고 따가움을 느끼는데 이를 방치할 경우 예민성 두피로 전환되기 쉽다. 잦은 두피 세정은 피하고 보습력이 있는 식물성 세정제를 사용하여 수분, 유분 밸런스에 초점을 맞추어야 한다. 적당한 두피 매뉴얼 테크닉은 건성 두피에 도움이 된다.

① 두피가 건조하여 생긴 각질이나 먼지를 제거한다.

② 두피의 막혀 있는 모공을 깨끗이 세척한다.

③ 두피와 어깨 매뉴얼 테크닉을 통하여 혈액순환이 잘되도록 한다.

④ 드라이, 퍼머넌트 웨이브, 염색 등의 자극을 많이 주지 않아야 한다.

⑤ 유·수분 공급과 영양 공급을 통하여 유지막을 형성하고 모발이 가늘어지지 않도록 관리한다.

⑥ 샴푸는 2~3일에 1회 샴푸한다.

(4) 민감성 두피

과도한 스타일링제나 뜨거운 사우나 등 민감한 두피에 영향을 줄 수 있는 것을 피하고 모발 건조 시 드라이어를 사용하는 것보다는 자연 바람을 이용하여 건조해 주는 것이 좋다.

① 스트레스가 원인이 되어 두피가 긴장되고 혈액순환 장애가 오지 않도록 주의하고 어깨 근육을 매뉴얼 테크닉한다.
② 두피의 청결과 세균의 번식 등으로 염증이 발생하지 않도록 주의해야 한다.
③ 민감성 두피에 염증이 심할 경우 염증 치료 후에 관리한다.
④ 두피에 직접적인 매뉴얼 테크닉 등으로 심한 자극을 주어서는 안 된다.

(5) 비듬성 두피

두피의 청결과 위생에 신경을 쓰고, 비듬을 일으킬 수 있는 두피 환경을 제거하는 데 초점을 맞추어야 한다. 건성 비듬의 경우에는 유·수분의 공급과 밸런스에 신경을 써야 하고, 지성 비듬의 경우에는 피지 분비 조절에 초점을 맞추어 두피 세정에 신경을 써야 한다.

① 비듬균에 의해 비듬이 생기므로 비듬균을 억제하는 특수 관리와 전문 제품을 사용해야 한다.
② 원인이 두피의 이상으로 나타나는 과도한 비듬은 스케일링을 통해 비듬을 제거하고 수분과 유분 영양제를 공급해 줘야 한다.
③ 두피 매뉴얼 테크닉을 통한 혈액순환을 촉진시킨다.

(6) 탈모성 두피

탈모는 단시간에 발생하는 것이 아니므로 관리 역시 오랜 시간이 소요된다. 적당한 두피 매뉴얼 테크닉과 두피의 청결 유지, 그리고 두피에 영양을 공급해 주고 저자극의 세정제를 사용하는데 초점을 맞춘다.

① 탈모는 유전과 스트레스에 의한 원인이 많으므로 탈모가 진행되지 않도록 관리해야 하며 생활에서의 편안함이 요구된다.
② 두피와 모발의 영양 공급과 어깨, 목의 매뉴얼 테크닉을 통하여 혈액순환을 좋게 한다.
③ 샴푸제는 자극이 적은 탈모 전용 샴푸제를 사용한다.

3) 연령별 홈케어 관리법

(1) 20대

예방 차원의 정기적인 두피관리

균형 잡힌 식생활

과도한 음주, 흡연 및 약물 복용 자제

두피 및 모발의 상태를 고려한 화학적 시술

두피의 상태를 고려한 샴푸제 선택과 샴푸법

(2) 30대

충분한 수면과 규칙적인 운동

본인만의 스트레스 해소법

평소의 꾸준한 건강관리

(3) 40대

꾸준한 건강관리와 운동

정기적인 탈모관리

충분한 수면

단백질 섭취 및 균형 잡힌 식생활

(4) 50대

면역력 강화를 위한 운동과 충분한 휴식

단백질 섭취

상체 매뉴얼 테크닉

보습(영양)과 면역력 강화 위주의 관리

충분한 물의 섭취

※ 수행 평가 (체크리스트)

	항목	자가 진단		
		우수	보통	미흡
1	두피·모발 진단기를 사용하여 시술 전·후의 변화를 비교하여 고객에게 설명할 수 있다.			
2	두피·모발 상태에 따라 관리에 적합한 제품을 사용하여 마무리할 수 있다.			
3	관리 종료 후 헤어스타일을 연출하여 마무리할 수 있다.			
4	건강한 두피·모발 상태 유지를 위한 관리법을 고객에게 설명할 수 있다.			

SCALP CARE & TRICHOLOGY **5**
PART

아로마를 이용한 두피관리 기법

아로마 요법(aroma therapie)이란, Aroma와 Therapy 의 합성어로 식물의 꽃, 잎, 줄기, 뿌리, 열매 등에서 추출한 순수한 식물오일을 이용하여 피부나 두피에 발라서 기능을 상승시키므로 스트레스나 내장기관의 균형을 회복시킬 수 있는 자연 치유 요법을 말한다.

에센셜 오일을 이용한 마사지나 호흡기를 통한 흡입으로 피부 노화를 억제시키고, 피부 재생을 도움으로써 피부 미용에 탁월한 개선 효과를 주는 자연 미용법이라고 할 수 있다.

아로마 요법은 천연 향유, 오일, 약초를 이용하여 마사지, 두발 치료, 질병 치료 등 다양한 용도로 활용되고 있다. 허브(Herb)란, 향이 나는 풀 또는 약초를 뜻한다. 향기가 있고 몸의 컨디션을 조절해 주는 작용을 가진 식물이라면 허브의 범주에 들어간다. 고대의 허브는 치료 목적의 약초로 활용하였지만, 지금의 허브는 스트레스 해소, 방부, 항균작용 등 다양한 방법으로 사용되고 있으며, 그 밖의 알려진 허브의 효능으로는 소염 효과, 식욕 촉진, 미용 효과, 건강 증진, 온욕 증가, 신선함, 미백 효과 등이 있다. 특히 여성 탈모로 고민하는 사람이나 모발이 가늘어지고 탄력이 부족해지면서 자주 끊어지는 사람들에게 효과적으로 이용될 수 있다.

모발의 상태는 두피에서 영양을 공급받아 모발의 두께 및 상태가 결정된다. 모발의 상태에 따라서 허브 오일을 선택하여 두피를 마사지하면 보다 건강하게 유지할 수 있다.

고대 이집트 시대에는 허브를 치료의 목적으로 사용되어 왔었다. 1920년대 프랑스의 과학자 루네 모리스 갓트포세가 허브에 대한 깊은 연구를 하여 지금의 아로마는 방향, 테라피는 요법을 의미하는 프랑스어로 아로마 테라피라는 표현을 처음으로 사용하게 되었으며, 오일의 성분은 점막을 통하여 흡수되고 뇌의 중심부에 직접 작용하여 심신을 유연하게 하거나 활성화시킨다고 보고하였다.

1. 두피별 아로마

1) 정상 두피

건강한 두피 상태 유지 관리 목적으로 사용한다. 청결하게 관리하며, 모발의 건조화를 방지하기 위한 목적으로 사용한다.

타임	클라리세이지	라벤더	호호바 오일	아몬드 오일

2) 모발이 건성일 때

모발을 세정한 후에도 윤기가 나지 않고 모발 끝이 갈라지고 들떠 있는 느낌이 들 때 오래된 각질 제거와 두피 순환이 목적이다. 수분과 영양 공급, 잦은 샴푸와 드라이는 피하며 관리한다.

컴푸리	마시메로	라벤더	파슬리	세이지	캐모마일

3) 모발이 지성일 때

기름기가 생겨서 모발이 들러붙는 느낌이 들 때 두피 세정, 피지 조절 위주의 목적이며 지나친 자극을 피하고, 건조될 수 있으므로 주의하여 사용한다.

로즈메리	메리골드	호스테일	레몬밤	라벤더
민트	서던우드	워치 헤이즐	셀서리	레몬 그라스

4) 비듬 두피일 때

두피가 건강하지 못하여 비듬이 생겼을 때 두피 청결과 소독의 효과와 신진대사 활성화를 목적으로 사용한다.

로즈메리	레몬	라벤더	캐모마일	치커리
파슬리	샌들우드	스팅잉 네틀	타임	알로에

5) 민감한 두피

육안으로 두피의 민감한 부분이 관찰되며 외부 자극에 따갑고 민감한 반응을 나타내는 두피일 때 예민해진 상태를 진정시키는 목적으로 사용한다.

캐모마일	사이프러스	밀배아유	아몬드 오일

6) 탈모성 두피

두피가 경직되어 딱딱하고 각질이 과도하게 쌓여 있는 상태 순환 저해로 인해 예민한 상태일 때 사용한다.

로즈메리	레몬	라벤더	호호바 오일

7) 두피에 자극을 주는 허브

두피에 자극을 주어 두피의 혈액순환을 돕게 하는 목적으로 사용한다.

캣민트(잎)	캣민트(꽃)	캐모마일	컴푸리
재스민	민트	일랑일랑	

8) 두피에 대한 강장작용

두피의 신진대사를 촉진시켜 모발의 재생작용을 활발하게 돕는 목적으로 사용한다.

메리골드	호스테일	라임 플라워	나스터튬
파슬리	로즈메리	세이지	

2. 모발과 아로마 요법

인체의 항상성을 높여 주어 자연 치유를 유도하는 자연 약초 요법에는 아로마 요법과 꽃향기 요법이 대표적이다. 아로마 정유는 항 박테리아, 항 감염, 항 진균, 진정 등의 특성과 근육을 이완시키고 혈액순환을 촉진하는 효능을 갖고 있어 피지 생성을 정상화하는데 돕는다. 특히 염증성 두피를 청결하게 하는 효과가 탁월하다. 두피 마사지의 이용 방법으로는 아로마 오일 마사지, 방향 요법, 목욕법, 흡입법 등으로 다양하게 활용되어 쓰인다.

(1) 마사지

호흡기와 피부를 통한 체내 흡수가 동시에 이루어지는 효과적인 방법 중의 하나이다. 아로마 테라피의 장점을 잘 응용하여 두피 마사지를 하는 데 있어서 여러 가지 방법으로 활용되고 있다. 두피와 모발 증상에 따라서 마사지의 강도와 횟수, 시간, 그리고 사용하는 천연 재료와 추가되는 적용법을 달리하여 각 상황별 최대의 효과를 나타낼 수 있도록 하는 것이 일반 헤드 마사지와는 차이점이 있다. 아로마 오일을 이용한 마사지를 통하여 탈모 방지 및 완화, 두통/편두통 완화, 비듬 개선, 정신적인 우울, 불안, 불면 해소, 두피, 목, 어깨의 근육 긴장 완화, 기억력 증진 등의 뇌 기능 강화, 스트레스 완화, 혈액과 림프 순환 증진, 얼굴 근육 리프팅 효과, 해독 효과 증진 등의 개선 효과를 볼 수 있다.

혈액, 림프 순환을 좋게 해 여러 질병과 미적인 문제가 빨리 해결될 수 있게 된다. 마사지법은 아로마 오일의 피부 침투와 흡입, 근육의 이완, 림프의 순환을 비롯하여 피부세포를 건강하게 하고 노폐물을 배출시키고 피부 탄력 유지 등의 효과가 있으며 고객에게 최대한 편안함을 주는 방법으로 이용된다.

(2) 입욕

물에 떨어뜨린 오일의 유효 성분이 피부로부터 몸속으로 흡수되고, 자연의 향이 증기와 함께 코나 목으로 흡입되므로 한 번의 입욕으로 에센션 오일을 두 배로 활용할 수 있는 방법으로 신진대사를 원활히 하고 혈액순환을 도와 심신의 긴장을 완화해주는 효과가 있다. 인체의 다양한 문제에 적용하며 특히 정신적인 문제, 피로회복, 불면증, 신경안정, 전신 비만, 하체 비만, 피부의 문제를 해결하기 위해 효과적이다.

욕조에 물을 가득 채우고 오일 6~8방울 희석한 후 15분 정도 전신을 담궈 편안히 향을 음미하는 방법, 하체 부종이나 하체 비만관리에 많이 사용하는 방법으로 욕조에 허리 정도까지의 물을 채우고 오일 2~3방울 떨어뜨린 후 이용하는 반신욕. 여성이 주로 사용하는 방법으로 좌욕기를 사용하는 좌욕과 잠깐의 효과로 피로회복이나 발목 통증에 효과가 좋은 족욕은 발목까지 물을 담가 오일 2~3방울을 떨어뜨려 이용하는 입욕 방법이 있다.

(3) 습포

뜨거운 물이나 찬물이 담긴 용기에 아로마 오일을 5~6방울 떨어뜨린 후 수건, 거즈 등에 물을 적셔 재빨리 꺼낸 뒤 환부에 얹어 놓은 방법이다.

응용 방법으로 아로마 오일을 떨어뜨린 뜨거운 수건을 이용한 얼굴 마사지로 혈액순환을 돕고 긴장을 완화시키며 모공을 열어 주는 효과가 있다. 차가운 습포 방법은 아로마 오일을 떨어뜨린 차가운 수건을 이용하여 감염 및 고열, 두통, 햇볕에 의한 화농, 부종 등에 효과적이다.

(4) 흡입

실내공기 정화, 방충 효과, 호흡기 질환, 수험생의 컨디션 조절 효과 등의 목적으로 이용되며 증발기에 물을 담아 아로마 오일 2~3방울 떨어뜨리고 열을 가하는 방법이다. 목걸이 또는 열쇠고리에 달린 캡슐을 이용해 알러지 비염이나 호흡기 환자, 수험생들처럼 집중을 요하는 경우에 사용된다.

(5) 가글링

구취 제거, 잇몸 질환, 목 염증 등에 이용하는 방법으로 물 반 컵에 오일 1방울을 떨어뜨려 입 안을 헹군 후 뱉어낸다.

(6) 화장품

화장품에 아로마 오일을 떨어뜨려 화장품의 효능에 시너지 효과를 높이기 위해서 사용한다.

3. 모발에 아로마 사용 선택 방법

두피와 모발 전체에 골고루 도포하고 가볍게 마사지를 할 때 유효 성분들이 흡수되도록 한다.

- 알로에 배라 : 붉은 두피, 민감한 두피, 지성 두피, 두피의 열감을 줄여 준다.
- 녹차 : 지성 및 지루성 두피, 두피 청소에 도움이 된다.
- 생강 : 차로 우려서 첨가하면 두피 혈액순환이 증가된다.
- 레몬 : 피지 분비를 줄이고 살균 효과를 높인다. 레몬즙을 몇 방울 첨가한다.
- 아보카도 : 과육을 으깨 모발에 골고루 바른다. 건성과 손상 모발에 효과적이다.
- 플레인 요쿠르트 : 지성 두피용, 지방 함유가 적으면서도 두피에 영양을 공급한다.
- 그린머드 : 독소와 피지, 노폐물을 흡착하여 두피를 청결하게 한다.
- 캐리어 오일 : 캐리어 오일은 피부에 직접 도포하는 오일을 희석하기 위한 물질이다. 캐리어 오일을 사용할 경우 부드럽게 적용할 수 있고, 캐리어 오일 자체가 가지고 있는 효과 및 약리를 추가로 기대할 수 있기 때문에 사용하고 있으며, 오일의 성분으로 쉽게 산화되기 때문에 필요시에 적절하게 섞어 사용하는 것이 좋다.

모발과 두피에 사용되고 있는 에센셜 오일과 캐리어 오일

구분	아로마 오일	캐리어 오일
건성 두피 손상 모발	페퍼민트, 레몬, 로즈	코코넛, 호호바, 아몬드
	모발에 영양 공급과 수렴작용으로 모세혈관 축소	
민감성 두피	유칼립투스, 페퍼민트, 로즈우드	그리이프, 아몬드
	면역기능 강화, 상처 재생 효과, 진정작용과 수분 공급	
비듬성 두피	주니퍼, 클라리세이지, 티트리, 시다우드, 라벤더, 레몬, 페퍼민트	호호바, 아보카도
	살균 효과, 세포 재생 촉진, 보습 효과, 림프 순환, 피지량 조절	
탈모성 두피	페퍼민트, 라벤더, 일랑일랑, 로즈메리, 바질	헤이즐럿, 카렌듈라
	림프 자극 신경계 강화, 세포 재생 효과, 모발 성장 촉진, 혈액 순환 촉진, 스트레스 완화	

탈모의 초기에는 아로마 오일 브렌딩을 적용한 자연 샴푸와 아로마 린스가 두피 건강과 모발 성장에 도움이 되며 탈모의 진행을 지연시키는 데 효과가 있다고 전해진다. 그러나 세발을 제대로 하지 않으면 좋은 제품이 오히려 독이 될 수 있으므로 잘 헹구는 것이 무엇보다도 중요하다. 자신에게 맞는 향 요법은 심신의 건강을 유지해 주므로 아로마 요법은 에센셜 오일과 케리어 오일을 함께 섞어 사용하며 아로마의 기능에 맞는 것을 선택하는 것이 중요하다.

- 근육 경직 : 블랙페퍼, 시너목, 타임, 로즈메리, 진저, 페퍼민트(캐리어 오일 : 호호바)
- 스트레스 : 라벤더, 제라니움, 버가못, 오렌지, 일랑일랑, 바질(캐리어 오일 : 스위트 알몬드)
- 불안 불면 : 로즈, 네롤리, 라벤더, 로먼 캐모마일, 샌들우드(캐리어 오일 : 애프리코트케널)

■ 두피에 효능이 있는 약초

- 모발을 검게 하는 효과 : 하수오, 구기자, 숙지황

- 두피 모발 혈액순환, 영양 공급 : 인삼, 뽕잎, 검은콩, 흑임자, 벌꿀, 달걀, 녹차

- 지루성 두피 모발 세정 효과 : 녹차, 달걀, 진흙(머드) 우유, 레몬

- 탈모 개선 효과 : 당귀, 하수오, 숙지황

- 윤기 있는 모발과 두피 효과 : 살구씨, 검은콩, 흑임자, 우유

- 가려움증과 소염 효과 : 계피, 다시마, 알로에, 수박, 양파

- 발모 효과 : 측백나무

- 손상모 회복 효과 : 다시마, 달걀노른자, 알로에

그 밖의 주의 사항으로는

① 원액을 직접 바로 사용하는 것은 금한다.
② 임신 중에는 사용을 주의해야 한다.
③ 쉽게 휘발되는 오일의 성질로 산화될 수 있다.
④ 사용 후 반드시 마개를 닫아 보관해야 한다.
⑤ 빛을 차단하는 갈색 병에 넣어 그늘진 곳에 보관한다.
⑥ 개봉한 지 2년 이상 된 오일은 사용하지 않는다.
⑦ 눈에 들어가지 않게 주의한다.
⑧ 유리로 된 병에 보관하도록 한다.

부록 – NCS 학습 모듈

대분류	12. 이용 · 숙박 · 여행 · 오락 · 스포츠	
중분류	01. 이 · 미용	
소분류		01. 이 · 미용 서비스

세분류	능력 단위	학습 모듈명
01. 헤어미용		
02. 피부미용	두피 · 모발관리 준비하기	두피 · 모발관리
03. 메이크업	두피관리 하기	
04. 네일미용	모발관리 하기	
05. 이용	두피 · 모발관리 마무리하기	

분류 번호 : 1201010112_16v3

능력 단위 명칭 : 두피 · 모발관리

능력단위 정의 : 두피 · 모발관리란 고객의 두피와 모발을 건강하게 유지하기 위하여 두피 · 모발 상태를 분석한 후 그 결과에 따라 기기와 제품을 선택하여 두피와 모발을 관리하는 능력이다.

능력단위요소	수 행 준 거
1201010112_16v3.1 두피 · 모발관리 준비하기	1.1 두피 · 모발 상태 진단에 필요한 기기와 도구를 준비할 수 있다. 1.2 문진, 시진, 촉진 및 기기를 사용하여 고객의 두피 · 모발 상태를 분석할 수 있다. 1.3 두피 유형과 모발 상태에 따라 관리 방법을 선택할 수 있다. 1.4 두피 · 모발 분석 내용을 고객차트에 기록할 수 있다.
	【지식】 ○ 두피 · 모발 생리에 관한 지식 ○ 두피 · 모발 진단기기 사용법 ○ 두피 · 모발 유형별 특징에 대한 지식 ○ 두피 · 모발 유형별 관리법
	【기술】 ○ 두피 · 모발 분석기 사용 기술 ○ 두피 · 모발 상태 분석 능력 ○ 고객차트 작성 능력 ○ 고객 상담 기술
	【태도】 ○ 정확한 두피 · 모발 분석을 위한 전문가로서의 자세 ○ 사용 기기를 청결하게 관리하는 자세 ○ 고객에게 신뢰감을 주는 태도

능력단위요소	수 행 준 거
1201010112_16v3.2 두피관리 하기	2.1 두피 유형별 샴푸제를 선정하여 서비스할 수 있다. 2.2 두피관리에 필요한 기기와 기구를 선택하여 사용할 수 있다. 2.3 두피 유형에 따라 스케일링 제품을 선정하여 서비스할 수 있다. 2.4 두피 상태 및 유형에 적합한 두피 매니플레이션을 할 수 있다. 2.5 두피 유형별 유·수분 균형 조절과 영양 공급을 위해 팩과 앰플을 사용할 수 있다. 【지식】 ○ 두피관리 제품의 특성과 사용법에 관한 지식 ○ 두피관리에 사용되는 기기와 기구의 특성과 사용법에 관한 지식 ○ 두피 유형에 따른 스케일링, 매니플레이션의 효과에 관한 지식 ○ 건강한 두피관리를 위한 영양소와 생활습관에 관한 지식 ○ 아로마테라피에 관한 지식 【기술】 ○ 두피 유형과 두피관리 제품 특성별 서비스 능력 ○ 두피 유형과 두피관리 기기의 활용 능력 ○ 스케일링과 매니플레이션 기술 【태도】 ○ 사용 기기를 청결하게 관리하는 자세 ○ 고객에게 신뢰감을 주는 태도 ○ 고객 만족을 위해 노력하는 자세
1201010112_16v3.3 모발관리 하기	3.1 모발 상태와 관리 방법에 따라 샴푸제를 선정하여 서비스할 수 있다. 3.2 모발관리에 필요한 기기와 기구를 선택하여 사용할 수 있다. 3.3 모발 상태와 관리 방법에 따라 관리 제품을 도포할 수 있다. 3.4 모발 유형별 유·수분 균형 조절과 영양 공급을 위해 팩과 앰플을 사용할 수 있다.

능력단위요소	수 행 준 거
1201010112_16v3.3 모발관리 하기	**【지 식】** ○ 모발관리 제품의 특성과 사용법에 관한 지식 ○ 모발관리에 사용되는 기기와 기구의 특성과 사용법에 관한 지식 ○ 헤어트리트먼트와 팩의 효과에 관한 지식 ○ 건강한 모발관리를 위한 영양소와 생활습관에 관한 정보 ○ 아로마테라피에 관한 지식 **【기 술】** ○ 모발 상태와 관리 제품의 특성별 서비스 능력 ○ 모발 상태와 사용 기기의 활용 능력 ○ 헤어트리트먼트 제품 도포 기술 **【태 도】** ○ 사용 기기를 청결하게 관리하는 자세 ○ 고객에게 신뢰감을 주는 태도 ○ 고객 만족을 위해 노력하는 자세
1201010112_16v3.4 두피 · 모발관리 마무리 하기	4.1 두피·모발 분석 기기를 사용하여 서비스 전·후의 변화를 비교 　　하여 고객에게 설명할 수 있다. 4.2 두피·모발 상태에 따라 관리에 적합한 제품을 사용하여 마무리 　　할 수 있다. 4.3 관리 종료 후 헤어스타일을 연출하여 마무리할 수 있다. 4.4 건강한 두피·모발 상태 유지를 위한 홈케어 방법을 고객에게 설 　　명할 수 있다. 4.5 두피·모발관리 내용을 고객차트에 기록할 수 있다. **【지 식】** ○ 두피·모발 생리에 대한 지식 ○ 분석 기기 사용법에 대한 지식 ○ 헤어스타일 연출 제품 사용에 대한 지식

능력단위요소	수 행 준 거
1201010112_16v3.4 두피 · 모발관리 마무리하기	**【기 술】** ○ 분석 기기 사용 기술 ○ 서비스 전 · 후 차이를 판단하는 능력 ○ 헤어스타일 연출 기술 ○ 고객과의 커뮤니케이션 능력
	【태 도】 ○ 사용 기기를 청결하게 관리하는 자세 ○ 고객에게 신뢰감을 주는 태도 ○ 고객 만족을 위해 노력하는 자세 ○ 고객에게 홈케어 방법을 친절하게 설명하는 태도

◎ 적용 범위 및 작업 상황

【고려 사항】

- 고객의 상황을 충분히 공감하고 심리적으로 안정감을 취할 수 있도록 배려하는 자세가 중요하다.

- 고객의 심리적 안정과 사생활 보호를 위해 가급적 일반 헤어 서비스 고객과 구분된 공간 확보를 권장한다.

- 고객에게 신뢰감을 주기 위해 전문적인 상담 기법을 익혀 응대한다.

- 식이요법, 향기 요법, 특이 체질에 관한 지식 등을 습득하여 관리 시 참고한다.

- 시진으로 두피 · 모발 분석을 하는 것은 눈으로 직접보고 분석했다는 것을 의미하며, 문진은 고객에게 식생활 및 생활 패턴에 대한 질문을 통해 분석했다는 것을 의미한다. 또한, 촉진이란 고객의 모발과 두피를 직접 문질로 보거나 만져 보고 분석했다는 것을 의미한다.

- 두피 · 모발관리에 사용하는 기기로는 분석기, 확대경, 현미경, pH 측정기, 유 · 수

분 측정기, 적외선기, 헤어 미스트기, 헤드 스파기, 히팅캡, 진동기 등이 있으며 고객의 두피 모발 상태나 고객이 선택하는 서비스 과정에 따라 선정하여 사용한다.
- 분석 결과 치료를 요하는 경우 고객에게 전문의사와의 상담을 권한다.
- 고객의 만족도와 서비스의 완성도 향상을 위해 메이크업, 매니큐어, 눈썹 손질 등의 부가서비스를 제공할 수 있어야 한다.

【자료 및 관련 서류】

- 두피 · 모발 관련 서적
- 상담을 위한 두피 · 모발 유형별 사진 자료
- 사용 제품과 기기의 설명서
- 고객차트

【장비 및 도구】

- 거울과 의자
- 두피 · 모발 분석기
- 헤어 미스트기 또는 히팅캡
- 샴푸대와 의자

【장비 및 도구】

- 관리 제품(팩, 스케일링제, 에센스, 트리트먼트제 등 일체)
- 관리 도구(면봉, 우드스틱, 브러시, 브러시, 용기 등 일체)
- 아로마 에센셜 오일
- 어깨보, 가운, 타월
- 샴푸제와 린스제

◎ 평가 지침

【평가 방법】

- 평가자는 능력 단위 두피·모발관리의 수행 준거에 제시되어 있는 내용을 평가하기 위해 이론과 실기를 나누어 평가하거나 종합적인 결과물의 평가 등 다양한 평가 방법을 사용할 수 있다.
- 피평가자의 과정 평가 및 결과 평가 방법

평 가 방 법	평 가 유 형	
	과 정 평 가	결 과 평 가
A. 포트폴리오		√
B. 문제 해결 시나리오	√	
C. 서술형 시험	√	√
D. 논술형 시험		
E. 사례 연구		
F. 평가자 질문	√	√
G. 평가자 체크리스트	√	√
H. 피평가자 체크리스트	√	√
I. 일지/저널		
J. 역할 연기		
K. 구두 발표	√	√
L. 작업장 평가	√	√
M. 기타	√	√

- 수행 준거에 제시되어 있는 내용을 성공적으로 수행할 수 있는지를 평가해야 한다.
- 평가자는 다음 사항을 평가해야 한다.
  - 수행 준거에 따른 지식·기술·태도의 습득 능력
  - 두피와 모발의 유형을 구별할 수 있는 능력
  - 두피와 모발의 유형에 따른 서비스 기술
  - 두피·모발관리에 필요한 기기와 기구 사용 능력
  - 고객에게 두피와 모발의 상태 및 홈케어 관리법을 설명할 수 있는 능력

◎ 직업 기초 능력

순번	직업 기 초 능 력	
	주요 영역	하위 영역
1	의사소통능력	문서이해 능력, 문서작성능력, 경청능력, 의사표현 능력
2	수리능력	기초연산능력
3	문제해결능력	사고력, 문제처리능력
4	자기개발능력	자아인식능력, 자기관리능력, 경력개발능력
5	자원관리능력	시간관리능력, 물적자원관리능력, 인적자원관리능력
6	대인관계능력	팀워크능력, 고객 서비스능력
7	정보능력	컴퓨터 활용능력, 정보처리능력
8	기술능력	기술 이해능력, 기술 선택능력, 기술 적용능력
9	조직 이해능력	조직 체제 이해능력, 경영 이해능력, 업무 이해능력
10	직업윤리	근로윤리, 공동체 윤리

◎ 개발 이력

구 분		내 용
직무 명칭		헤어미용
능력단위 보완 유형		능력단위 요소 수정
분류번호	기존	1201010112_14v2
	보완	1201010112_16v3
개발 연도	현재	2016
	2차	2014
	최초(1차)	2011
버전번호		v3
개 발 자	현재	(사)대한미용사회
	2차	(사)대한미용사회
	최초(1차)	한국산업인력공단
향후 보완 연도(예정)		2019
능력단위 보완 사유		능력단위 요소 수정

◎ 강의 계획서

강의 계획서

교과목 정보

교과목명	두피모발관리	이수 구분		담당교수	
				강의실	
학년 - 학기		학 점		시수 (이론/실습)	

NCS 능력 단위

대분류	중분류	소분류	세분류 (직무)	능력단위	능력단위 코드	학습 모듈
이용/숙박/ 여행/오락/ 스포츠	이/미용	이/미용 서비스	헤어미용	두피모발관리	1201010112_14v2	□ 유 ■ 무

교과목 개요 및 특징	**[교과 개요]** • 모발 생리를 이해하고 두피 타입에 맞는 관리 방법을 기술적인 부분과 전문제품을 사용하여 관리 방법을 설계할 수 있도록 함 • NCS 능력단위의 수행 준거를 기반으로 고객 유형 분석과 기기 및 제품 사용에 대한 지식과 기술을 통해 준비, 시술, 마무리의 과정에서 고객에게 적합한 다양한 두피관리 테크닉을 숙달함 **[교과 특징]** • 본 교과는 두피관리사 자격증 취득에 필요한 기본 테크닉과 현장실무 활용을 위한 교과목으로 이를 시술하기 위한 고객 상담, 두피관리 테크닉, 제품 사용, 기기의 사용과 마무리 세척, 스타일 마무리 등의 현장 실무에 필요한 능력을 갖춰 줄 수 있음 • 본 교과는 1 : 1 개인 실습, 팀별 실습 중심의 교과목임
교육 목표	• 두피 타입에 따른 고객에게 적합한 관리 방법을 설계하고 필요한 기본적 준비와 함께 고객 보호를 위한 사전 처리를 할 수 있다. • 두피 타입에 따른 문제점을 안내하고 관리 방법을 고객에게 설명, 시술할 수 있다.

교 재 (NCS 학습 모듈)	구분	교재명	저자명	출판사	출판연도
	주교재	NCS기반 두피모발관리학	전희영 외	광문각	2017
	참고 교재				

교수 · 학습 방법	a	b	c	d	e	f	g	h
	a. 이론 강의, b. 실습, c. 발표, d. 토론, e. 팀 프로젝트, f. 캡스톤 디자인, g. 포트폴리오(학습자/교수자), h. 기타							

평가 방법	a	b	c	d	e	f	g	h	i	j	k	l	m
	A. 포트폴리오 B. 문제 해결 시나리오 C. 서술형 시험 D. 논술형 시험 E. 사례연구 F. 평가자 질문 G. 평가자 체크리스트 H. 피평가자 체크리스트 I. 일지/저널 J. 역할 연기 K. 구두 발표 L. 작업장 평가 M. 기타												

◎ 관련 NCS 정보

관련 NCS 정보					
대분류	중분류	소분류	세분류(직무)	능력단위	능력단위 코드
이용/숙박/여행/오락/스포츠	이/미용	이/미용서비스	헤어미용	두피모발관리	1201010112_14v2

능력단위 요소		NCS 수준	수행 준거		지식 · 기술 · 태도
1	1201010112_14v2.1 두피 · 모발관리 준비하기	4	1.1	두피 · 모발 상태 진단에 필요한 기기와 도구를 준비할 수 있다.	**【지식】** ○두피 · 모발 생리에 관한 지식 ○두피 · 모발 진단 기기에 대한 지식 ○두피 · 모발 상태 분석을 위한 기초 지식 ○두피 · 모발 유형별 관리 지식 **【기술】** ○두피 · 모발 진단기 사용 기술 ○두피 · 모발 상태 분석 기술 ○두피 · 모발 유형별 시술 기술 ○두피 · 모발 분석카드 작성 기술 ○고객 상담 기술 **【태도】** ○기기 사용 및 진단 분석 전문가로서의 책임감과 자부심 ○사용 기기를 청결하게 관리하는 자세 ○고객에게 신뢰감을 주는 태도
			1.2	문진, 시진, 촉진, 검진을 통해 고객의 두피 · 모발 상태를 분석할 수 있다.	
			1.3	두피 유형에 따라 관리 방법을 선택할 수 있다.	
			1.4	모발 상태에 따라 관리 방법을 선택할 수 있다.	
			1.5	다음번 방문 시 시술에 반영할 수 있도록 두피 · 모발 분석카드를 작성할 수 있다.	
2	1201010112_14v2.2 두피관리 하기	4	2.1	두피 유형에 따라 샴푸제를 선정하여 시술할 수 있다.	**【지식】** ○두피관리 제품의 특성과 사용법에 관한 지식 ○두피관리에 사용되는 기기와 기구의 특성과 사용법에 관한 지식 ○두피 유형에 따른 스케일링, 매뉴얼 테크닉의 효과와 시술법에 관한 지식 ○건강한 두피관리를 위한 영양소와 생활 습관에 관한 지식 ○아로마테라피에 관한 지식
			2.2	두피 유형에 따라 스케일링 제품을 선정하여 시술할 수 있다.	

2	1201010112_14v2.2 두피관리 하기	4	2.3	두피 스케일링 효과를 높이고 두피의 혈액순환을 돕기 위해 두피 메뉴얼 테크닉을 할 수 있다.	【기 술】 ○두피 유형과 두피관리 제품 특성별 시술 기술 ○두피 유형과 두피관리 기기의 특성별 시술 기술 ○스케일링과 매뉴얼 테크닉 등의 기술 【태 도】 ○기기 사용 및 시술 전문가로서의 책임감과 자부심 ○사용 기기를 청결하게 관리하는 자세 ○고객에게 신뢰감을 주는 태도 ○정확한 진단을 위해 지속적으로 학습하는 의지
			2.4	영양 공급과 유·수분 균형 조절을 위해 팩과 앰플을 사용할 수 있다.	
			2.5	두피관리에 필요한 기기와 기구를 선택하여 사용할 수 있다.	
3	1201010112_14v2.3 모발관리 하기	4	3.1	모발 상태와 관리 방법에 따라 샴푸제를 선정하여 시술할 수 있다.	【지 식】 ○모발관리 제품의 특성과 사용법에 관한 지식 ○모발관리에 사용되는 기기와 기구의 특성과 사용법에 관한 지식 ○헤어트리트먼트와 팩, 매뉴얼 테크닉 등의 효과와 시술법에 관한 지식 ○건강한 모발관리를 위한 영양소와 생활습관에 관한 정보 ○아로마테라피에 관한 지식 【기 술】 ○모발 상태와 관리 제품의 특성별 시술 기술 ○모발 상태와 사용 기기의 특성별 시술 기술 ○헤어 트리트먼트 매뉴얼 테크닉 【태 도】 ○기기 사용 및 시술 전문가로서의 책임감과 자부심 ○사용 기기를 청결하게 관리하는 자세 ○고객에게 신뢰감을 주는 태도 ○정확한 진단을 위해 지속적으로 학습하는 자세
			3.2	모발 상태와 관리 방법에 따라 관리 제품을 도포한 후 핸들링할 수 있다.	
			3.3	영양 공급과 유·수분 균형 조절을 위해 팩과 앰플을 사용할 수 있다.	
			3.4	모발관리에 필요한 기기와 기구를 선택하여 사용할 수 있다.	

4	1201010112_14v2.4 두피 · 모발관리 마무리하기	4	4.1	두피 · 모발 진단기를 사용하여 시술 전 · 후의 변화를 비교하여 고객에게 설명할 수 있다.	【지식】 ○두피 · 모발 생리에 대한 지식 ○진단기 작동원리에 대한 지식 ○헤어스타일 연출 제품의 성분에 대한 지식 【기술】 ○진단기 사용 기술 ○시술 전 · 후 차이를 판단하는 능력 ○헤어스타일 연출 테크닉 ○고객과의 커뮤니케이션 기술 【태도】 ○기기 사용 및 분석 전문가로서의 책임감과 자부심 ○사용 기기를 청결하게 관리하는 자세 ○고객에게 신뢰감을 주는 태도 ○정확한 진단을 위해 지속적으로 학습하는 의지 ○고객에게 관리법을 친절하게 설명하는 자세
			4.2	두피 · 모발 상태에 따라 관리에 적합한 제품을 사용하여 마무리할 수 있다.	
			4.3	관리 종료 후 헤어스타일을 연출하여 마무리할 수 있다.	
			4.4	건강한 두피 · 모발 상태 유지를 위한 관리법을 고객에게 설명할 수 있다.	
계	3		15		

◎ 주차별 학습 내용

주차	관련 능력단위 요소	수업 내용	비고
1	• 미용 모발학 수업 진행 OT • 진단 평가	• 수업 오리엔테이션 - 두피모발관리의 필요성 - 두피모발관리의 범위 - 두피모발관리의 수업 내용 - 두피모발관리의 평가 방법과 성적 산출 - 수업 준비물과 수업 방식 • 진단평가 실시	진단평가 강의계획서 설명
2	• 두피 · 모발관리 준비하기	• 두피 · 모발 상태 진단에 필요한 기기와 도구 설명 - 준비물 설명 - 기기 설명 • 분석 방법에 대한 설명 - 문진, 시진, 촉진, 검진 등 분석 방법에 대한 설명	
3	• 두피 · 모발관리 준비하기	• 두피 유형 • 두피 유형에 따른 관리 방법 - 두피 유형의 개념과 특징 • 고객카드 작성 방법 - 상담	
4	• 두피관리 하기	• 두피 유형에 따른 샴푸제 선정 - 샴푸의 정의 및 종류 - 샴푸 시술 방법 - 린스 - 린스 시술 방법	
5	• 두피관리 하기	• 스케일링	
6	• 두피관리 하기	• 두피관리 매뉴얼 - 얼굴, 귀, 어깨, 두피	
7	• 두피관리 하기	• 영양 공급과 유 · 수분 조절방법	
8	• 직무수행 능력평가	• 1차 직무수행 능력평가(지필 평가)	
	• 직무수행 능력평가 피드백	• 1차 직무수행 능력평가 해설과 풀이	

9	• 평가 확인과 환류	• 1차 직무수행 능력평가 피드백 확인 - 개별 평가 결과 확인(수업 전 완료) - 직무수행 능력평가 시 미흡한 영역 피드백 • 향상/심화 과정 및 재평가 - 핵심 용어 및 개념 정리 - 팀별 문제풀이 활동 - 재평가	- 재평가의 가산점은 직무수행 능력평가에 반영
	• 모발관리 하기	• 샴푸 방법 • 린스 방법	
10	• 모발관리 하기	• 모발관리에 필요한 기기와 기구를 선택 사용	
11	• 두피ㆍ모발관리 마무리하기	• 두피타입별 선별하여 모델 선정 및 매뉴얼 선택	
	• 프로젝트 수행	• 주제별 프로젝트 수행 - 두피타입별 관리/진행 정도/결과 관찰하기	
12	• 두피ㆍ모발관리 마무리하기	• 시술 전ㆍ후 비교	
	• 프로젝트 수행	• 주제별 프로젝트 수행 - 두피 타입별 관리/진행 정도/결과 관찰하기	
13	• 두피ㆍ모발관리 마무리하기	• 적합한 제품 사용하여 관리	
	• 프로젝트 수행	• 주제별 프로젝트 수행 - 두피 타입별 관리/진행 정도/결과 관찰하기	
14	• 두피ㆍ모발관리 마무리하기	• 홈케어	
15	• 직무수행 능력평가	• 2차 직무수행 능력평가(지필 평가)	
	• 직무수행 능력평가 피드백	• 2차 직무수행 능력평가 해설과 풀이	
	• 직무수행 능력평가 확인과 향상/심화 과정	• 2차 직무수행 능력평가 피드백 확인 - 개별 평가 결과 확인(수업 전 완료) - 직무수행 능력평가 시 미흡한 영역 피드백 • 향상/심화 과정 및 재평가 - 핵심 용어 및 개념 정리 - 팀별 문제풀이 활동 - 재평가	- 재평가의 가산점은 직무수행 능력평가에 반영
	• 교과 내용 총정리		- 교과목 주용 내용을 단원 제목과 핵심 용어 중심으로 정리 - 연계 교과목에 대해 설명

◎ 평가 계획서

평가 계획서				
교과목명	두피모발관리		담당 교수	
직무명			능력단위명 (능력단위코드)	두피 · 모발관리 (1201010112_14v2)
구 분	배점	능력단위 요소		평가 방법 / 시기
진단 평가				
출석 평가	20			
직무수행 능력평가 1 (중간고사)	30	1201010112_14v2.1 두피 · 모발관리 준비하기		
직무수행 능력평가 2 (기말고사)	30	1201010112_14v2.4 두피 · 모발관리 마무리하기		
직무수행 능력평가 3 (수시평가 1)	5	1201010112_14v2.2 두피관리 하기		
직무수행 능력평가 4 (수시평가 2)	5	1201010112_14v2.1 두피 · 모발관리 준비하기		
직무수행 능력평가 5 (수시평가 3)	10	1201010112_14v2.3 모발관리 하기		
합 계	100			

◎ 학생 자가진단 및 교수평가

교과목명	두피모발관리	담당 교수	
직무명		능력단위명 (능력단위코드)	두피 · 모발관리 (1201010112_14v2)
평가일자			
학 번			
이 름			

능력단위요소	수행 준거	자가 진단		
		우수	보통	미흡
1201010112_14v2.1 두피 · 모발관리 준비하기	1.1 두피 · 모발 상태 진단에 필요한 기기와 도구를 준비할 수 있다.			
	1.2 문진, 시진, 촉진, 검진을 통해 고객의 두피 · 모발 상태를 분석할 수 있다.			
	1.3 두피 유형에 따라 관리 방법을 선택할 수 있다.			
	1.4 모발 상태에 따라 관리 방법을 선택할 수 있다.			
	1.5 다음회 방문 시 시술에 반영할 수 있도록 두피 · 모발 분석카드를 작성할 수 있다.			
1201010112_14v2.2 두피관리 하기	2.1 두피 유형에 따라 샴푸제를 선정하여 시술할 수 있다.			
	2.2 두피 유형에 따라 스케일링 제품을 선정하여 시술할 수 있다.			
	2.3 두피 스케일링 효과를 높이고 두피의 혈액순환을 돕기 위해 두피 메뉴얼 테크닉을 할 수 있다.			
	2.4 영양 공급과 유 · 수분 균형 조절을 위해 팩과 앰플을 사용할 수 있다.			
	2.5 두피관리에 필요한 기기와 기구를 선택하여 사용할 수 있다.			
1201010112_14v2.3 모발관리 하기	3.1 모발 상태와 관리 방법에 따라 샴푸제를 선정하여 시술할 수 있다.			
	3.2 모발 상태와 관리 방법에 따라 관리 제품을 도포한 후 핸드링할 수 있다.			
	3.3 영양 공급과 유 · 수분 균형 조절을 위해 팩과 앰플을 사용할 수 있다.			
	3.4 모발관리에 필요한 기기와 기구를 선택하여 사용할 수 있다.			
1201010112_14v2.4 두피 · 모발관리 마무리하기	4.1 두피 · 모발 진단기를 사용하여 시술 전 · 후의 변화를 비교하여 고객에게 설명할 수 있다.			
	4.2 두피 · 모발 상태에 따라 관리에 적합한 제품을 사용하여 마무리할 수 있다.			
	4.3 관리 종료 후 헤어스타일을 연출하여 마무리할 수 있다.			
	4.4 건강한 두피 · 모발 상태 유지를 위한 관리법을 고객에게 설명할 수 있다.			

◎ 이수 시간

학습	수준		학습 내용	이수시간
1201010112_14v2.1 두피 · 모발관리 준비하기	4	1.1	두피 · 모발 상태 진단에 필요한 기기와 도구를 준비할 수 있다.	6
		1.2	문진, 시진, 촉진, 검진을 통해 고객의 두피 · 모발 상태를 분석할 수 있다.	
		1.3	두피 유형에 따라 관리 방법을 선택할 수 있다.	
		1.4	모발 상태에 따라 관리 방법을 선택할 수 있다.	
		1.5	다음번 방문 시 시술에 반영할 수 있도록 두피 · 모발 분석카드를 작성할 수 있다.	
1201010112_14v2.2 두피관리 하기	4	2.1	두피 유형에 따라 샴푸제를 선정하여 시술할 수 있다.	15
		2.2	두피 유형에 따라 스케일링 제품을 선정하여 시술할 수 있다.	
		2.3	두피 스케일링 효과를 높이고 두피의 혈액순환을 돕기 위해 두피 메뉴얼 테크닉을 할 수 있다.	
		2.4	영양 공급과 유 · 수분 균형 조절을 위해 팩과 앰플을 사용할 수 있다.	
		2.5	두피관리에 필요한 기기와 기구를 선택하여 사용할 수 있다.	
1201010112_14v2.3 모발관리 하기	4	3.1	모발 상태와 관리 방법에 따라 샴푸제를 선정하여 시술할 수 있다.	12
		3.2	모발 상태와 관리 방법에 따라 관리 제품을 도포한 후 핸들링할 수 있다.	
		3.3	영양 공급과 유 · 수분 균형 조절을 위해 팩과 앰플을 사용할 수 있다.	
		3.4	모발관리에 필요한 기기와 기구를 선택하여 사용할 수 있다.	
1201010112_14v2.4 두피 · 모발관리 마무리하기	4	4.1	두피 · 모발 진단기를 사용하여 시술 전 · 후의 변화를 비교하여 고객에게 설명할 수 있다.	12
		4.2	두피 · 모발 상태에 따라 관리에 적합한 제품을 사용하여 마무리할 수 있다.	
		4.3	관리 종료 후 헤어스타일을 연출하여 마무리할 수 있다.	
		4.4	건강한 두피 · 모발 상태 유지를 위한 관리법을 고객에게 설명할 수 있다.	

참고문헌

NCS 국가직무능력표준 http://www.ncs.go.kr

길버트, 《발생생물학 8판》, 라이프사이언스.

김한식, 《모발생리학》, 현문사, 1997.

최근희 외, 《모발관리 이론 및 실습》, 수문사, 2001.

조명숙, 《모발과학총론》, 훈민사, 2002.

김경화 외, 《표준미용학》, 정담미디어, 2003.

김청환 외, 《인체의 생물과학》, 형설출판사, 2003.

권미윤 외, 《기초모발과학》, 예림, 2004.

모리스, 《모발대전과》, 한국모발과학협회, 2004.

류은주 외, 《모발미용학개론》, 이화, 2004.

곽형심 외, 《개정판 모발과학》, 수문사, 2005.

한국두피모발관리사협회, 《TRICHOLOGIST》, 크라운출판사, 2008.

김주섭 외, 《모발 과학》, 훈민사, 2010.

장병수 외, 《최신 모발학》, 광문각, 2011.

한국두피모발관리사협회, 《최신 두피모발관리학》, 군자출판사, 2012.

임순녀 외, 《두피모발관리학》, 광문각, 2013.

전희영 외, 《모발학》, 한빛출판사, 2013.

저자 소개

- **전희영**
  - 대덕대학교 뷰티과 교수
  - 미용장

- **이부형**
  - 창원문성대학교 미용예술과 교수
  - 미용장, 이용장

- **김모진**
  - 미용장, 이용장
  - 남일 초·중·고등학교 미용과 교사

- **김동분**
  - 서정대학교 뷰티아트과 교수
  - 미용장

- **김해영**
  - 미용장, 이용장
  - 한국영상대학교 겸임교수
  - 대전과학기술대학교 겸임교수
  - 김해영헤어샵

NCS 기반
두피모발관리

2017년 3월 14일 1판 1쇄 발행
2019년 8월 27일 2판 1쇄 발행

지 은 이 : 전희영 · 김모진 · 김해영
         이부형 · 김동분
펴 낸 이 : 박정태

펴 낸 곳 : **광 문 각**

10881
경기도 파주시 파주출판문화도시 광인사길 161
광문각 B/D 4층
등   록 : 1991. 5. 31 제12-484호
전 화(代) : 031) 955-8787
팩   스 : 031) 955-3730
E - mail : kwangmk7@hanmail.net
홈페이지 : www.kwangmoonkag.co.kr

ISBN : 978-89-7093-840-0   93590

값 : 20,000원

한국과학기술출판협회회원